Hervé Jaouen

L'ALLUMEUSE D'ÉTOILES

Roman

Cet ouvrage a paru aux Editions Denoël en 1996.

ISBN 978-2-258-13439-3

Presses de la Cité | un département **place des éditeurs**

place des éditeurs

Toute ressemblance avec des lieux, des dénominations commerciales, des situations, des personnes existant ou ayant existé serait fortuite.

H.J.

Rallumer les étoiles

Réédition rime avec frisson, celui de rouvrir le dossier, de feuilleter le manuscrit, de se souvenir avec attendrissement qu'on utilisait de l'encre bleu des mers du Sud, par coquetterie, à cette époque-là.

« A cette époque-là », c'est bien ce qu'il faut dire. Un roman est le fruit d'une longue fièvre inexplicable. La fiction, pendant des mois, devient la réalité de l'auteur. On se relit comme si le texte avait été écrit par un autre, et de même qu'on ne se permettrait pas de retoucher l'œuvre d'autrui, on écarte toute idée de corrections. Le roman appartient à un moment donné de votre existence, tant pis ou tant mieux si ensuite votre palette a changé.

Rééditer, c'est se demander : dans quel état second étais-je quand j'ai écrit ce livre ? Dans *Le Monde d'hier*, Stefan Zweig remarque : « Des innombrables énigmes insolubles de l'univers, c'est quand même le mystère de la création qui demeure la plus insondable et la plus mystérieuse. Une fois la création achevée, l'artiste ne sait plus rien de sa genèse. »

Tout de même, je retrouve quelques repères dans ma mémoire. Le défi que je m'étais lancé de relier une salle de bal rétro perdue dans les monts d'Arrée à l'univers clinquant du show-biz, et broder sur le mythe de Pygmalion. Pour le décor dont j'avais besoin à la fin de l'histoire, chercher dans le catalogue d'un voyagiste un club de vacances bien gratiné d'animations en tous genres. Le trouver en Turquie tel que je l'ai décrit, me condamner à y séjourner une semaine, et là, autre énigme insoluble de l'univers, tomber sur un animateur, gentil organisateur raté, en chair et en os le personnage qu'il me manquait. Appelons cela cadeau des dieux ou heureux hasard ; troublant, quoi qu'il en soit.

En relisant la correspondance, se rappeler aussi que le roman inspira une chanson mise en musique par Jo Privat junior et chantée par Muriel Demarchi, dite Bambolina. Cette valse lente fut enregistrée mais jamais diffusée.

Revoir dans le dossier ses gribouillis de recherche du titre, se remémorer le coup de chance de découvrir dans *Les Mamelles de Tirésias*, d'Apollinaire, ces variations étoilées : *Ils éteignent les étoiles à coups de canon… Ils ont même assassiné les constellations…*

Il est grand temps de rallumer les étoiles. CQFT, ce qu'il fallait trouver.

Enfin, la bonne surprise du prix Populiste et le baptême du feu de sa réception, pendant le salon du livre de Saint-Etienne, devant un millier de spectateurs (public d'une soirée récréative, avec la remise du prix comme intermède...). Dans le bus qui nous ramenait à l'hôtel, François Cavanna, président du jury, se montra préoccupé par la dérive sémantique du mot « populiste », nuisible à la notoriété du prix. Ignorant que le populisme désignait à l'origine une école littéraire soucieuse de dépeindre le petit peuple[1], un certain nombre de personnes pensaient déjà, en 1996, à une récompense d'un goût douteux. A l'exception de *La Croix*, aucun média national ne reprit l'info, malgré les efforts de mon attachée de presse. Le plus bel hommage au roman fut suisse, signé Jean-Louis Kuffer, dans *La Tribune de Genève.* En 2012, le prix a été rebaptisé prix Eugène Dabit, du nom de son premier lauréat, pour *L'Hôtel du Nord.*

1. Extrait du manifeste de Léon Lemonnier, publié en août 1929 dans *L'Œuvre* : « Nous voulons aller aux petites gens, aux gens médiocres qui sont la masse de la société et dont la vie, elle aussi, compte des drames. Nous sommes donc quelques-uns bien décidés à nous grouper autour d'André Thérive, sous le nom de "romanciers populistes" Le mot, nous l'avons dit, doit être pris dans un sens large. Nous voulons peindre le peuple, mais nous avons surtout l'ambition d'étudier attentivement la réalité. Et nous sommes sûrs de prolonger ainsi la grande tradition du roman français, celle qui dédaigna toujours les acrobaties prétentieuses, pour faire simple et vrai. »

« Atmosphère, atmosphère... » Atmosphères du Nord, de l'Ouest et du Sud opposées et entremêlées. Grâce à cette réédition, les étoiles d'un moment d'inspiration vont se rallumer dans le ciel du roman noir.

Hervé JAOUEN

I

Je les tiens. Une chanteuse sait bien quand elle les tient, les gens qui l'écoutent, qu'ils soient deux, quatre, cent ou cinq cents. Mille ou dix mille, est-ce que cela m'arrivera jamais ?

Je les tiens en mon pouvoir. Un bien grand mot, « pouvoir ». Plus un mot de Roparz qu'un des miens. Roparz aurait dit : « Tu les tiens, tu es le cobra et la flûte, le panier d'osier et le charmeur de serpents, tu es l'univers et le non-univers, le Grand Tout et le grand rien du tout, néant, fermons le ban ! » Et il aurait ricané.

Je ferme les yeux pour ne pas le voir, Roparz, de l'autre côté de la vitre. Pourtant, ce sont ses mots à lui que je chante. Mais je l'entends murmurer à mon oreille, dans le casque : « Tu les tiens par ta peau, par tes cheveux, par tes paupières closes et ton visage de porcelaine, par ta voix et par mes paroles. »

Oui, mon Roparz, jamais je n'ai été ivre de chant comme à présent. Jamais je n'ai été emplie d'une telle certitude. Jamais encore je n'ai décoché de telles flèches.

Je suis comme ce papillon d'Amérique du Sud, beau papillon zébré, je suppose, de rouge et de jaune, ou de vert et de bleu, ou tout simplement noir et blanc, comment savoir ?, méchant papillon qui expulse d'un seul jet des milliers de fléchettes empoisonnées. C'est un légionnaire, un vieux dragueur de thés dansants, qui m'a dit ça. En poste en Guyane, sur la base de lancement des fusées Ariane-ma-sœur, il voyait leur nuage arriver, crépusculaire, et soudain les papillons bombardaient les humains pour les punir, sans doute, d'envoyer des oursins déchirer le ciel. Les gens n'en mouraient pas, ils se grattaient, seulement.

De ma bouche, aussi, jaillissent des flèches venimeuses.

Sur la peau de mes victimes, la chair de poule du grand frisson émotionnel. Pas besoin d'y poser les doigts : à distance, même les yeux fermés, je parcours les douces aspérités des grains que ma voix fait lever. Facile de savoir ce qu'ils ressentent car ma peau à moi, dans ces circonstances-là, aussi, devient une vraie toile émeri. Mon grain érectile se multiplie par cent mille, tout partout, quand je suis l'oreille et non plus le vocal, et que j'écoute les voix des morts qui chantent si bien la déveine, la débâcle, la révolte, le désamour et le désespoir. Elles sont mon gant de crin, et je me frotte avec.

Le gant de crin sur cent mille clitos, devinez l'effet.

Un courant électrique grésille entre mes dents.

Qui aurait cru qu'un jour ce serait moi qui allumerais le courant ?

Doucement, ma fille, tu enregistres, un point c'est tout.

Et je repars je ne sais où, dédoublée. Sous le micro qui pend du plafond comme la lune qu'on lui donnerait à gober, il y a une fille qui pour l'état civil s'appelle Evelyne, elle occupe le centre du studio, articule des mots, transpire, s'enfonce les ongles dans la peau, les mains jointes derrière le dos, maudissant ce truc qui pend et qu'elle ne peut empoigner, auquel elle ne peut se raccrocher. Mais l'autre, baptisée Eva par celui qui se prétend producteur, s'envoie en l'air du côté d'un éden duquel, en compagnie de son poète et parolier, elle a longtemps rêvé, en buvant du vin blanc dans des verres maculés de traces de doigts, à l'intérieur de bistrots lugubres où les filles emmitouflées dans des châles de fripier frissonnaient de froid et d'amertume.

Faux : les bistrots n'étaient ni lugubres ni froids. Et ce n'était pas vraiment d'amertume que frissonnaient les filles.

Est-ce le sentiment prémonitoire qu'un jour peut-être je regretterai ce temps du rêve qui sculpte ma voix ? Pardon, la voix d'Eva, ma sœur, mon double, tour à tour rauque et printanière, sensuelle et fleurie, cynique et déconcertée.

De l'autre côté de la vitre, ils mélangent ma voix à un arrangement écrit par un célèbre compositeur de musique de films. Ils m'habillent de paillettes et de strass. Cocktail étrange, luxuriant bouquet : les violons et les cuivres sont les motifs sur la faïence du vase et moi je garnis la coupe de digitales, de gueules-de-loup, de valériane, d'aubépine, de camomille, de chardons, de mouron, d'ajoncs, de verges-d'or et de ciguës, de pleines brassées de fleurs sauvages nourries du fumier de ma vie.

J'arrose ton cannabis
Marie-Jeanne du pénis
Et j'le fume ton hasch
Pour le prendre mon flash
Quand j't'allume ton étoile
Couchée sur toi dans les toiles…

Eva est la chanson, Evelyne la partition. Evelyne, fille du Nord, grands yeux bleus innocents, longs cheveux blonds, corps frêle de décharde en manque de calories. Eva, la même à l'intérieur, mais pour le monde du dehors déguisée, méconnaissable sous une perruque brune et un maquillage de geisha, et les yeux assombris par des lentilles noisette grillée.

L'accompagnement musical, le compositeur l'a voulu sirupeux, une scie sournoise, très années 50, le genre baiser final en contre-jour sur ciel pourpre. Coucher du soleil, fin du monde, société qui se délite : la symphonie pour créer le contraste entre l'élégie et les paroles écrites par mon mec, mon marginal, mon révolté, mon Roparz à moi qui, fidèle à lui-même, a l'air près de les bouffer, les ingénieurs du son, le producteur alias Mister Prode et Claudia sa bourgeoise, de l'autre côté de la vitre.

Je chante son appel à la dissolution. Pas à renifler la colle à réparer les chambres à air. Non. La dissolution finale du merdier de notre fin de siècle dans la chaux vive du refus.

Refus de la boue télévisuelle, de la société Coke-hamburgers, de la performance individuelle, des écoliers gosses-hommes-sandwichs à la botte des marchands de jeans, de tee-shirts, de godasses, de cartables et de casquettes de basketteurs des rues.

« Moi, avoir la haine ? disait Roparz. Qu'est-ce que c'est que cette connerie d'expression ? Un détournement de langage. Sémantique du ciment. Les Horaces haïssent les Curiaces. Les Capulets haïssent les Montaigus. Mais dire j'ai la haine au lieu de dire je me fais chier dans ma banlieue, c'est réduire les sentiments à trois bulles de Coca-Cola, tuer la réflexion, se coller le cerveau entre deux tranches de pain industriel, tartiner le tout de moutarde télévisuelle et l'envelopper dans un poster à l'effigie du Che, made in Taiwan.

— Pourtant, je disais, tes textes, tes chansons, c'est pour ces gens-là que tu les as écrits.

— Il s'agit d'élever le débat, Evelyne. Leur dire qu'il faut faire la révolution, pas seulement casser les vitrines. Redéfinir leur néant. »

Pas comme ça que le producteur l'a compris. Vendre et faire du beurre. Son beurre. Notre beurre ?

Mister Prode a dit ce soir :

« Faut que t'allumes des étoiles dans leur tête, Eva. Faut que ta chanson devienne l'hymne des banlieues. Tu sais comment je la vois, ta chansonnette ? Comme une crotte de chocolat à la liqueur. Au milieu, une petite boule de dynamite et autour du bon chocolat au lait, bien doux, bien sucré. Tu leur donnes ça à sucer, aux exclus. Ils bouffent le chocolat, lapent la liqueur, et l'explosif, ils l'avalent sans le croquer, parce qu'ils tiennent pas à crever, juste à avoir des sensations. Parce que tout ce qu'ils veulent, c'est pas plus de liberté ou plus de respect. L'abstrait, ils en ont rien à branler. Ce qu'ils réclament, c'est tout simplement plus de fringues, plus de bagnoles, plus de films de cul à la télé, faut pas chercher plus loin. »

Lequel des deux est le plus cynique ? Roparz ou Mister Prode ?

J'suis ta piquouse, ta ventouse, ta sangsouse
Vendeuse, gagneuse, voleuse de santé
Pas besoin m'sieur le maire d'être mariés
D'avoir au doigt comme les bourges la bagouse
Pour des flics hérisser le poil
Et dans la ville allumer plein d'étoiles.

M'en fous. Je chante.

Je tends ma boîte de crottes en chocolat. Prenez et mangez, vrais et faux révoltés, exclus des banlieues et enfants choyés orphelins d'émotions.

Ton canna c'est mon pain bis
J'suis ton héroïne, je craque, descends
En moi transformer l'eau en sang
A nos noces barbares on jettera le riz
Pour toi je prendrai les voiles
En allumant les étoiles.

Sucez votre caillou. Je suis la reine de l'intifada verbal, l'ilote du showbiz. Les graviers que je distribue à la volée ont été trempés, lissés, polis et durcis dans les bains du marketing et retrempés dans la boue du quotidien ultralibéral.

« Et si c'était nous les hypocrites ? j'avais dit à Roparz.

— T'inquiète pas. Nous on est sincères, c'est le système qui transformera notre vin en eau de boudin. »

Mon regard fixe le micro. Les alvéoles de la mousse qui l'entoure sont les pores de ma peau. Des avens insondables. Je suis l'œil du microscope électronique.

Speed l'exclu, oncle Tom du chômedu
Spit ton shit, crache tes balles
Nique les politiques, fais la société cocue
Chevalier de la horse, déménage à cheval
Arrose la zone de fuel-oil
A leur gueule fais péter les étoiles...

Mister Prode a dit :

« Défonce-toi au maxi, Eva. Je te préviens, y aura pas de deuxième prise. Tu sais combien ça me coûte de l'heure, la location de ce studio ? Alors, chante avec ta cervelle et ton ventre. Pense à la gloire. Pense que tu vas crever une heure après et que cette chanson c'est ton testament, le seul truc que tu vas laisser après toi. Chante avec tes tripes. Avec ton trip, dirait ton petit poète. »

Mon petit poète : Roparz.

Rien à faire, beau gratter l'allumette
Société médiatisée, ignifugée garantie audimat
Char à bœufs blindé full metal jacket
Y en a marre de se fouler la rate
A la remuer, société grosse vache
Allez, flingue-moi, qu'enfin je m'arrache…

Limon des années de dèche dans lesquelles on a barboté comme des bébés crocodiles échoués dans la vase après la décrue du fleuve. On a surnagé. On n'a pas cédé à la tentation de boire la tasse une bonne fois pour toutes.

« La boue c'est fertile, disait Roparz. La preuve : si on avait travaillé à la Poste ou aux contributions, tu n'aurais pas chanté et je n'aurais pas écrit. On a fait pousser nos roses dans la sciure des bistrots. »

Arrosée d'un joint et d'un ballon de blanc sec.

« Es-tu sincère quand tu écris ?

— Tu veux dire quand j'ai écrit allez, flingue-moi, qu'enfin je m'arrache ? Tu verras bien un jour, si je te le demande. »

J'acquiesce en chantant…

J'arrive, mon chéri, à tes ordres j'obéis
Moi ta faucheuse de canna, cannabiche
Hush baby hush baby hasch chie
J'arme ton revolver, allons dis-moi chiche
Que d'une balle dans la tête, dose létale
Je t'expédie au ciel allumer mes étoiles.

Les deux Martiens casqués, de l'autre côté de la vitre, me font signe d'arrêter de respirer, le temps que les violons, souples comme des pieuvres, sortent du champ auditif en balançant leurs jets d'encre et obtiennent le silence au noir. Puis l'un d'eux lève le pouce et le producteur applaudit – ses mains bougent mais je ne les entends pas. Roparz allume une cigarette et la bourgeoise du producteur toussote de façon ostentatoire. Le genre antitabac et coït aseptisé ? J'ôte mon casque et me dirige vers l'aquarium au bras du destin qui me tient la main au bord du précipice et me montre du doigt les crêtes enneigées à la cime desquelles il me propose de marcher.

Au moment où j'allais pousser la porte vitrée, un technicien a dû appuyer sur une touche par mégarde. Il y a eu un retour de son. En me regardant avec ses yeux de teckel libidineux dressé à fouiner dans les boutiques de luxe, la bourgeoise de Mister Prode disait : « Tu y crois vraiment, Jacques, à cette paumée des cambrousses ? »

Je suis restée coincée, comme prise dans la glace de la porte, et j'ai remonté le temps.

Mes cambrousses me plaisent, madame, me suis-je retenue de lui répondre.

Ma cambrousse natale, d'abord, située quelque part entre Flandre et Hainaut, plat pays s'il en est, je l'avais quittée à dix-neuf ans pour une grande ville du Nord, avec un divorcé, musicien de son état et jovial amant quand la bière ne le rendait pas impuissant, ce qui n'avait d'ailleurs guère d'importance. Après qu'il m'eut plus ou moins larguée et conduite, par la force des choses et de son je-m'en-foutisme, à faire la manche dans les rues, ses sentiments devinrent plutôt paternels. Il me trouva cet engagement comme goualanteuse dans un orchestre rural pendant la saison des frimas.

« T'as une voix qu'est pas commune, t'as un joli p'tit cul qu'a pas encore trop servi, sur les planches de ce Modern Dancing perdu dans les labours t'auras toute l'initiative. Tu te feras les cordes vocales et le reste, et après ça, Paris, ma grande ! Les bistrots de Montparnasse, un mec te repère, et te voilà lancée. Comme ça que je vois ton avenir.

— Tu es un père pour moi », je lui avais répondu.

Voilà comment Eva était devenue la chanteuse vedette d'un orchestre ringard qui animait les thés dansants et les bals rétro d'une boîte perdue dans les monts d'Arrée du Finistère. Rien à voir avec l'Himalaya, les Andes ou les Rocheuses, juste des mamelons raplapla que les lourds et merveilleux nuages bleus pressaient contre la poitrine de la terre granitique comme le bandeau de contention aplatit les seins d'une nonne sur l'arrondi des côtes.

J'avais un peu plus de vingt ans et moins de souvenirs que si j'avais vingt mois. Ma vie jusque-là n'avait été qu'une lente errance d'un bout à l'autre d'un couloir gris le long duquel j'avais ouvert et refermé quelques portes : première communion, dépucelage, mort d'un père métallo abruti de boulot, le bac et la fuite au beau milieu de ma deuxième année de DEUG de lettres.

Voulant que ce contrat au Modern Dancing soit une sorte de retraite clandestine et craignant un retour d'affection de ma mère qui la mènerait chez les flics réclamer une recherche dans l'intérêt des familles, avant de me présenter je m'étais composé ce personnage d'Eva : perruque corbeau, lentilles foncées sur mes yeux bleus et maquillage de geisha. Mon surmoi de chanteuse. Je m'étais retirée au couvent où trois fois par semaine je chantais la grand-messe.

Les thés dansants, c'était les mercredis et samedis après-midi, et le grand bal rétro, tous les dimanches soir. Un service de cars amenait les mémés et les vieux beaux fauchés – veuves en grand nombre, veufs en effectifs réduits, vieilles filles et vieux garçons – des hameaux et bourgs alentour. Une espèce de ramassage scolaire à l'intention des démunis ou des soiffards et soiffardes qui voulaient s'en mettre plein la lampe de cabernet d'Anjou et de vouvray brut sans risquer d'avoir à souffler dans le biniou des gendarmes. Les autres, les riches, les abstinents ou les téméraires, ou les deux à la fois, venaient dans leurs belles autos. Tous arrivaient endimanchés, mais on pouvait aisément distinguer le public transports en commun de celui plus restreint des propriétaires d'automobiles.

Débarquaient des cars des papies en costumes de confection gris ou bleu marine et chemise blanche qui, c'était selon leur état de santé, les serrait au col ou bâillait du col, et des mémères multicolores, enpomponnées de robes à fleurs, toutes adeptes du Wonderbra et des pinces savantes destinés à avantager la devanture et le popotin. Le parfum bon marché et l'after-shave de tête de gondole, c'était en volutes épaisses qu'ils stagnaient sur la piste pour s'élever vers mon estrade et me monter à la tête comme la fumée des fagots a étouffé la Pucelle d'Orléans ficelée sur son bûcher.

Le genre à sortir des bagnoles c'était plutôt, côté bonnes femmes, le style robe longue et carré de soie sur les épaules, tandis que côté gentlemen, on donnait dans le souteneur flamboyant ou le commercial à la retraite en arborant des accessoires de couleur à rendre limpides des lunettes noires de soudeur. Machos, moustaches, murmures enjôleurs. Ces vieux-là ne venaient pas seulement pour danser ou trouver une douce amie. Ils cherchaient la baise, à l'instar de certaines mémés – qu'elles fussent des cars de ramassage ou passagères de limousines –, qui avaient le feu quelque part.

La mère de Roparz était de celles-là.

J'avais commencé un mercredi, en douceur : ce jour-là beaucoup de grand-mères ont leurs petits-enfants à garder et, bizarrement, peut-être parce que c'était le jour de congé des gosses, régnait dans la boîte, les mercredis après-midi, une ambiance de cour de récréation, de garderie scolaire, de spectacle de fin d'année qu'on prépare avec la maîtresse. En fait, c'était bien cela : les danseurs et danseuses du mercredi étaient plus là pour répéter, pour s'entraîner, que pour flirter ou nouer des relations intimes si affinités, comme on dit dans les petites annonces.

La maman de Roparz, je la repérerais le samedi suivant, au cours de ma deuxième prestation, donc. J'ai su un peu plus tard qu'elle sortait de clinique psychiatrique.

Je chantais des tangos, des pasos, des valses, des chachas entrecoupés de la dose prescrite de mélodies à frotter, selon un rythme à peu près invariable auquel était rodé un public pavlovisé qui n'attendait même pas que les lumières faiblissent pour rechercher un contact de bon aloi qui serait raffermi les samedis et dimanches.

La plupart du temps je lisais mes textes sur des partitions posées sur un lutrin. Les musiciens quant à eux possédaient leurs mélodies sur le bout des doigts. Je chantais sans forcer et, pendant ce temps-là, j'observais et je pensais à un tas de choses. Au bout d'une semaine j'ai déjà vu la vie autrement.

Paysan à l'origine, Marcel, le patron de la boîte, était un bon bougre, pataud d'allure, mais malin comme un banquier libanais. Il faisait exploiter des terres qu'il possédait toujours dans la plaine par une entreprise de travaux agricoles, avait mis en gérance une station-service qui lui venait du côté de sa femme, et le Modern Dancing était sa danseuse, qu'il faisait tourner trois fois par semaine, ce qui lui rapportait plus que son commerce de carburants et que ses cinquante hectares de céréales. Ses loisirs, il les passait à entretenir une meute de chiens courants qu'il lançait, dès l'ouverture de la chasse, aux trousses des renards, chevreuils et sangliers, dans les forêts domaniales. Il avait deux filles étudiantes, l'une à Paris, la seconde à Nantes, une femme costaude et terre à terre qui lui allait comme une paire de bottes, et j'avais table ouverte chez eux, quand je voulais et sans prévenir, et mon linge on s'en occuperait, et si j'avais besoin d'une voiture pour aller me balader en ville, eh bien j'en prendrais une, suffisait de demander, bref, ils me l'avaient répété tous les deux, fallait que je me sente chez moi, sous-entendu : à condition que je ne joue pas les vedettes. Ils en avaient trop essuyé, d'avanies, à cause de casseroles qui se prenaient pour des prima donna, qui les avaient rendus bourriques avec leurs exigences de diva. Une chanteuse n'était qu'une chanteuse, rien de mieux qu'une fille de ferme dotée d'un joli filet de voix. Saine attitude, qui vous plantait l'ego bien droit dans la glèbe. Leurs clients, ils les aimaient. Jamais au grand jamais ils ne vendraient leur bastringue à un apache qui le transformerait en disco. Certes, ils gagnaient de l'argent, mais il y avait dans la peine qu'ils se donnaient une bonne dose d'altruisme. Que je comprenais, maintenant.

A vingt ans, on se figure que les gens de soixante n'ont plus de libido, ni de vie sentimentale, ni de sentiments du tout, excepté les regrets de la jeunesse perdue et l'hypocondrie qui résulte des rides et des régimes sans sel et sans sucre. J'avais tort, et ma voix se faisait plus sincère à mesure que je me détrompais. Grâce au Modern Dancing, à l'orchestre et à moi, ils oubliaient les maisons de retraite qui poussaient comme des champignons à la lisière des bourgs dispersés dans la plaine.

Je m'en voulais de mon ironie première, et je comprenais mieux les sourires contraints qu'avaient eus les musiciens lorsque j'avais lancé une vanne, au tout début, à propos de « rombières ». Les musiciens jouaient, étaient en harmonie avec leur public. Ils ne se sentaient pas supérieurs à lui. L'accordéoniste : un employé de banque en retraite. Le batteur : un sexagénaire pensionné militaire à cent pour cent au titre d'une tuberculose contractée pendant la guerre d'Algérie et guérie avec les accords d'Evian. Le troisième, guitariste, contrebassiste et saxophoniste, était prof à mi-temps dans une institution pour handicapés mentaux. Des types simples, des types honnêtes, des types sincères.

J'idéalisais, certainement, car sous mes yeux, sur la piste, s'envenimaient des intrigues mesquines et s'exaspéraient des rancœurs. Quelle importance ? Je préférais me laisser attendrir. Les machos roucouleurs et jaloux avaient ma préférence, tandis que m'émouvaient gentiment leurs dames. J'aimais leurs robes, qu'elles fussent de confection – achetées à la grande ville, dix fois essayées, dix fois retouchées, dix occasions de prendre l'autocar, dix après-midi de bonheur – ou bien coupées sur le modèle d'un patron hérité d'aïeules abonnées à *Femmes au foyer* et assemblées par une cousine reine de la machine à pédale. Tout en elles me faisait fondre le cœur : leurs manières de débutantes du bocage – mouchoir de batiste dans la manche, moues mutines, raccords de rouge maladroits, maquillage à l'emporte-rides ; leurs démarches de paysannes – sacs à main démodés tenus à bout de bras comme une caisse à outils, jambes branlantes sur des talons trop hauts ; ou bien encore leur élégance surannée – cheveux rosés, lourds bijoux en toc, bas à couture.

Ce troisième âge me semblait plus décidé à vivre que ne l'avait jamais été ma chère mère que j'avais abandonnée à ses brouillards célestes et mentaux.

Je naissais à nouveau et ma robe de scène n'était autre qu'une robe de baptême.

Roparz serait le prêtre qui me dispenserait l'affusion.

Je guérissais de ma déprime congénitale. Je n'avais plus envie de mordre. Je m'emplissais d'indulgence tandis que je me regardais pousser sous cloche.

Ma serre : ce hangar agricole transformé en salle de danse. A l'extérieur, des parpaings bruts. A l'intérieur, sous un faux plafond où pendaient les sempiternelles sphères à facettes qui réfléchissaient en tournant la lumière de spots verts et rouges, des murs en lambris peints en bleu-gris entouraient la piste, un vaste plancher de chêne où l'on jetait à la volée, avant la danse, des copeaux de cire. Un bar occupait d'un bout à l'autre le mur du fond. A l'opposé se trouvait l'estrade de l'orchestre, un gros caisson de bois brut habillé d'une jupe en velours grenat. Tout autour, il y avait des tables et des chaises disparates, pour la plupart couleur lie-de-vin, achetées par Marcel le patron dans des ventes aux enchères après fermeture économique de cafés-épiceries de hameaux désertés.

Mon terreau : la lande bretonne, que j'embrassais du regard de l'unique fenêtre de mon logement à l'extrémité du hangar. Pour moi qui venais du plat pays, ces collines étaient de vraies montagnes. Entre leurs poings fermés de gisants allongés dans la tourbe, elles abritaient des vallons et des vallées, des forêts et des bois, des ruisseaux et des rivières, des cascades et des chaos de roches qui brisaient l'horizon tout en le fermant. Chez nous, l'horizon n'en finissait pas, et ça vous flanquait le vertige existentiel. Ici, il y avait un au-delà. Ici, j'avais touché mon but : j'étais à l'intérieur de quelque chose, et je me mettais à aimer l'humanité personnifiée par ces pantins âgés qui obéissaient à ma voix en essayant de remonter la pente savonnée du temps.

Il me faut revenir sur terre et dire maintenant qu'il n'y a pas moins de tarés à l'Ouest qu'au Nord. C'est un mal singulier que la folie de la lande et de la bruyère, mais il ne tue pas moins que la mélancolie qui suinte du béton, bien qu'à mes yeux de citadine ce mal de la terre fût paré de poésie ou de lyrisme en plus, à cause de Roparz, bien évidemment.

Avant de savoir que la mère de Roparz était la mère de Roparz, et que Roparz était Roparz, je les appelais dans ma tête la Piquée et le Poète.

La Piquée, il aurait fallu être aveugle pour ne pas la distinguer parmi les vieux. Non qu'elle fût particulièrement voyante, mais c'était sa manière à elle de se défoncer qui la mettait en relief. Ce petit bout de femme dans le début de la soixantaine, aux cheveux courts et peu fournis teintés blond-roux, se lançait dans la danse d'un air buté, la bouche pincée, la tête légèrement en avant. Son corps, aussi, avait l'air têtu : grêle sous la robe chasuble, mais coriace. Elle avait des bras durs comme du bois de fer, tavelés de taches de rousseur en plaques jaunâtres, de véritables pinces qu'elle refermait sur ses partenaires, balèzes ou nabots. Elle collait son bas-ventre à leur trousseau de clés et les bandeurs avaient un fin sourire en direction de leurs copains. La Piquée, elle était facile à sortir et à bousculer dans la bagnole ou contre le mur derrière le hangar. Facile ? Mieux que ça : elle les entraînait. Sans un mot. Le reste, l'accordéoniste me l'avait décrit : elle ôtait son slip, retroussait ses jupes, se faisait prendre illico et revenait boire des pichets de cabernet d'Anjou. A qui le tour ? lisaient les amateurs dans son regard fixe, dans ses yeux enfoncés sous les paupières plissées, sur ses lèvres pincées.

Vers la fin de l'après-midi ou de la soirée, Roparz venait la chercher. Il la récupérait directement sur le parking, après qu'elle s'était livrée à un ultime fugace accouplement, puis l'embarquait dans une vieille Renault 6 et la fourrait au lit.

Le jour où je l'ai aperçu pour la première fois et que j'ai su le pourquoi de sa présence – « Voilà le fiston », m'a dit l'accordéoniste –, c'était un dimanche soir. Très différents, les dimanches soir, des mercredis et samedis après-midi. Le dimanche soir, en attendant de se rendre du côté de Concarneau, Lorient, Brest ou Saint-Brieuc dans des boîtes de nuit distantes de plus de cinquante ou cent bornes, une voyoucratie rurale, déjà bien éméchée, venait foutre sa merde au Modern Dancing. Tant qu'ils se contentaient de faire du gringue aux mémères, qui refusaient poliment ou les envoyaient paître d'une repartie vexante (« Va torcher le lait qui te coule encore du nez », un must), tant qu'ils se contentaient de s'aligner devant l'estrade, de beugler mes refrains et de mimer mon jeu de scène, il n'y avait qu'à subir. Le patron aurait pu embaucher deux ou trois videurs qui leur auraient interdit l'entrée ou les auraient virés au commencement du chambard, mais ça l'arrangeait, je crois, de les avoir. Cette ambiance lui aurait manqué, et puis les jeunes gars consommaient des hectolitres de bière pression, et puis ils se tiraient au plus tard à minuit, et la soirée poursuivait son bonhomme de chemin. Un interlude, en quelque sorte. Un spectacle supplémentaire. Une animation d'entracte.

Mais il arrivait que l'alcool rendît certains méchants. Ils cherchaient la chicore, l'obtenaient parfois, reculaient le plus souvent devant une escouade de vieux encore bien baraqués emmenés par Marcel et soutenus par la patronne qui hurlait des injures à vous faire dresser les cheveux sur la tête, et finissaient par filer doux. Marcel leur offrait la tournée et l'armistice était conclu dans les sanglots avinés d'actes de contrition bafouillés.

Ce soir-là où j'ai connu Roparz, c'était un dimanche entre les deux, ni baston ni calme plat.

Je chantais un tango fameux. Au pied de l'estrade, une demi-douzaine d'apprentis charcutiers de l'abattoir de dindes qui fournissait du boulot à la moitié du canton jouaient les pom-pom boys, et reprenaient en chœur le refrain, avec paroles de circonstance. Ah, j'en ai marre de faire l'amour avec les va-ches, c'est dé-gueu-la-sse, ça laisse des traces... Ces jeunes-là, qui avaient des clones dans toutes les provinces – en cherchant bien dans ma mémoire j'aurais pu leur dénicher à chacun un jumeau dans le plat pays de ma naissance –, inspiraient plus la pitié que la peur. Incapables de penser par eux-mêmes, et trop bons fils pour sombrer dans la vraie violence, ils tentaient d'imiter les méchants télévisuels des banlieues, territoires qui leur étaient pourtant plus étrangers que la Papouasie. Ils n'arriveraient jamais à effacer de leurs visages la bonté bonasse du terroir, malgré les mèches grasses qui leur pendaient jusqu'au menton, leurs nuques rasées par le coiffeur-épicier-tabacs-journaux du bled, leurs imitations de rangers à bouts ferrés et leurs jeans trop courts qui laissaient voir leurs chaussettes à losanges reprisées par leurs mamans, le soir à la chandelle. Deux d'entre eux étaient allongés par terre, à essayer de reluquer sous ma mini.

Mon regard à moi leur passait au-dessus. La Piquée était sortie en compagnie d'un vieux marlou. Roparz est entré par la porte de côté, là-bas au coin du bar dans le fond.

« V'là le fiston », a dit l'accordéoniste.

Roparz me dirait plus tard que c'était ma voix qui l'avait poussé à entrer, au lieu d'attendre dehors que sa mère ait fini de s'accoupler.

Je n'ai jamais vu de loups ailleurs qu'au cinéma, mais il n'empêche que j'ai pensé à un loup, au loup qu'on me promettait de rencontrer si j'allais, gamine, fouiner dans les coins noirs de la cave ou du grenier. Oui, j'ai pensé à une bête efflanquée, aux yeux fiévreux, au poil sombre, à la gueule déformée par un rictus amer, une bête sauvage devant laquelle les clebs, même les plus gras, même les plus entraînés à l'attaque, se défilent, la queue entre les jambes, en pissant des gouttes comme des bébés chiens, une bête solitaire qui préfère jeûner plutôt que de traquer la musaraigne comme un vulgaire renard, un animal mythique qui se nourrit de mythes, chasse le Phénix, le dévore et le fait renaître en lui.

J'exagère, évidemment. Appelons ça l'hyperbole amoureuse.

Le col relevé de sa veste de velours noir allongeait ses traits. En dessous, il portait une chemise blanche, col ouvert. Ses yeux n'auraient pas pu être plus pâles. Légèrement voûté, les mains dans les poches de sa veste avachie, il a longé le mur entre les tables en jetant à droite et à gauche des coups d'œil de lanceur de couteaux. Il cherchait à atteindre sa cible sans encombre : quelque chose au-dessus de ma tête, qu'il s'est mis à regarder fixement, planté devant moi, entre l'estrade et la bande de charcutiers bourrés. Il a senti que dans son dos les branques se foutaient de lui. Il s'est retourné. Le loup s'est retourné, les chiens ont grogné. Il les a ignorés et a recommencé de regarder. De regarder quoi ? Mon auréole toute neuve de sainte Evelyne des bruyères ?

Sa mère est rentrée. J'attaquais un paso, une antienne, une rengaine, un classique ringardos qui a produit dans la salle un clapot de frétillements. Un vieux a accosté la Piquée, un garçon charcutier l'a écarté, s'est incliné et a présenté des respects ironiques. La mère de Roparz a relevé le menton, serré les lèvres et refermé la pince de ses bras secs autour du cou du jeunot. Celui-ci, annonçant la couleur, d'un long pas lui a glissé sa cuisse entre les siennes où il l'a gigotée en se marrant. La Piquée n'a pas cillé. Elle a serré les cuisses sur la cuisse du gars.

Roparz, confit en dévotion pour ma personne, tournait le dos à la parade nuptiale du coq de labour : mains aux fesses, gros bisou dans le cou, coups de reins frénétiques.

A ce moment-là, j'ignore ce qui m'a pris. Coquetterie de langage, car je sais bien ce qui m'a pris : le désir irrépressible de capter son regard fixé sur mon auréole là-haut. Alors, j'ai arrangé ce putain de paso à ma façon, voix rauque, voix claire, plaintes d'agonie, babils d'allégresse. La mandibule leur en pendait, aux musiciens. Je cassais le rythme, le reprenais, et plus je sentais le flottement dans la salle, plus je forçais sur l'improvisation démente.

Le regard est descendu d'un cran et s'est rivé au mien.

Le loup a hoché la tête, imperceptiblement.

J'ai écarquillé les yeux.

Entraînée par son garçon charcutier, la Piquée disparaissait dans les toilettes des hommes, au fond, à droite du bar, et quatre autres queutards, hilares, emboîtaient le pas au couple. Le dernier a sifflé les veaux qui, rendus dingos par mon improvisation, se trémoussaient comme des danseuses du ventre. Ils ont entendu, ont compris et ont filé vers le fond.

J'en ai perdu la voix. Pourquoi ? Que la Piquée se fasse sauter par des vieux beaux, c'était dans l'esprit des lois en vigueur au Modern Dancing. Mais par ces tueurs de poulets, des types plus jeunes que son fils, son fils qui me mangeait des yeux…

Lui aussi a compris : la bande qui se précipitait, le mongol qui montait la garde devant la porte des chiottes, mon désarroi et le : « Putain, pas par ces mectons ! » de l'accordéoniste.

J'ai sauté de l'estrade et j'ai couru à sa suite.

Au passage, près du bar, j'ai appelé le patron. Il avait déjà jeté son torchon et empoigné sa matraque.

Roparz a envoyé valdinguer le type près de la porte des gogues. Est entré. J'étais juste derrière. Un gars était à l'œuvre qui écrasait la Piquée, robe chasuble retroussée jusque sous les aisselles, contre la faïence blanche.

Il y a eu un échange de coups mal ajustés qui tenait plus du crêpage de chignon que de la baston. Ni Marcel, le patron, ni Roparz, ni même les brêles ne savaient se battre. Leurs tenues, leurs bottes, leurs coiffures mi-punk mi-plouc, c'était de la frime. Ils n'étaient pas méchants à l'intérieur, ces types que le patron connaissait par leur prénom. D'ailleurs, quand Marcel s'est mis à invoquer leurs géniteurs, des copains à lui, ils se sont sentis morveux et nous ont lâché la grappe.

« Pas de notre faute si la vieille aime se faire enfiler.

— Pourriez chercher autre chose à vous mettre sous la queue, j'ai dit.

— Hé ! toi, peut-être, la chanteuse ? D'accord !

— J'aurais trop peur de choper la peste porcine.

— Pas le sida ? a ricané l'horrible.

— Avec des types comme toi, ça craint rien. Personne n'en veut. Même un gorille plombé n'en voudrait pas, de ta trique pourrie !

— Salope !

— Faut pas les humilier, Eva, ils méritent pas ça, a dit Marcel.

— Je ne les humilie pas, je leur fais prendre conscience. »

Roparz m'a regardée d'un air gêné et a murmuré :

« C'est ma mère, les mecs.

— Nique ta mère, lui a dit l'un des jeunes bœufs.

— Tu devrais arrêter de regarder la télé, j'ai dit.

— Bon Dieu, C'EST MA MÈRE ! Voyez pas qu'elle est malade ? »

Les bœufs eux-mêmes ont pris ça comme un coup de merlin sur le crâne. Adossée à la faïence blanche, sa petite culotte à ses pieds, la maman de Roparz regardait droit devant elle, tétanisée, l'air d'un cadavre debout dans ces chiottes qui sentaient le crésol et la morgue.

« C'est l'heure d'aller en boîte vous distraire autrement, les gars, a dit Marcel. Eva, tu reprends ?

— Je n'aimerais autant pas. »

L'orchestre jouait une valse, ma voix n'était pas indispensable au plaisir des ancêtres, le patron en est convenu.

« D'accord, vas-y. »

J'ai compris qu'il avait pesé le pour et le contre dans sa tête, et avec son sens de l'économie de dialogue, cette intuition qu'ont les gens de la terre de n'extraire que l'essentiel de leurs neurones, il avait sauté tout de suite à la conclusion : d'accord, vas-y, aide-le à ramener sa mère à la maison.

J'ai ramassé la petite culotte par terre, j'ai pris la maman de Roparz par la taille – elle était maigre comme un coucou –, elle s'est raidie, mais a fini par avancer un pied, puis l'autre, et je l'ai soutenue jusqu'à la sortie.

Sur la route qui tranchait le flanc de la montagne, les petites autos blanches des égorgeurs de volaille filaient vers d'autres aventures en aboyant comme des renards.

La nuit était froide et humide : en ce début d'automne, la rosée du soir collait comme une bruine huileuse qui vous glaçait la peau. Les vitres des voitures étaient opaques. La maman de Roparz a commencé de trembler. Le froid grumelait ses bras nus, et les miens.

« On va choper la crève.

— Je vais chercher la voiture.

— Tu ferais mieux d'aller d'abord chercher des fringues. Dans ma piaule, en haut de l'escalier extérieur, là-bas. La clé est sous le pot de géraniums. Prends le blouson sur le lit et deux pulls dans la commode. »

La maman et moi, on s'est rencognées sous la marquise en tôle qui agrémentait l'entrée. Tout contre moi, elle tremblait mais ne bougeait pas, ne parlait pas, ne voyait pas.

« Je suis une copine », j'ai dit, mais elle n'a pas réagi.

Roparz est revenu en vitesse. J'ai emmitouflé sa mère dans mon blouson et enroulé un pull autour de son cou, puis j'ai noué l'autre pull sur mes épaules. Je suis montée à l'arrière de la Renault 6, avec le zombi, en pensant qu'elle pourrait se jeter par la portière.

Roparz n'a pas prononcé un mot avant qu'on n'arrive dans la cour de la ferme. En coupant le contact il a dit : « Mon père était paysan. Il s'est pendu il y a trois ans. »

Mon image a quitté la vitre : j'ai franchi le seuil de la salle de mixage où on venait de graver *L'allumeuse d'étoiles*.

« Formidable », m'a dit Roparz, et j'ai posé mon front sur son épaule, et il m'a caressé les cheveux.

Les cheveux : ma perruque brune à la Gréco, mon postiche, mon fétiche, ma fausse identité de concubine aux joues de porcelaine.

« Pas mal, a dit la rombière du producteur, oui, je dois l'avouer, c'est pas mal du tout.

— Je te l'avais dit, Claudia. Quand est-ce que tu me croiras sur parole ?

— Avec toi, la parole, c'est jamais qu'une façon de parler.

— Plains-toi ! Quand je promets, c'est solide comme du bois », a dit Mister Prode en serrant sa moitié par-derrière.

Ils n'allaient tout de même pas se grimper dessus devant nous ? Vrai que la rombière, son regard nous passait au travers.

« Il y a bois et bois. Un petit rameau, c'est tout autant du bois qu'un chêne centenaire.

— Vilaine ! »

Elle lui a tapoté la joue.

« Bon, tu ne traînes pas, hein, promis ?

— Je te rejoins à onze heures tapantes. Juste le temps de régler la petite formalité juridique entre Eva et moi.

— N'oublie pas que j'ai horreur de poireauter toute seule dans une soirée.

— Compte sur moi, ma loutre. »

Elle a enfilé ses gants – des gants, fin juin ! – et s'est tirée sans nous dire bonsoir, à Roparz et à moi.

« Alors, les gars ? a dit le producteur aux techniciens penchés sur les platines.

— Un siècle qu'on n'avait pas entendu quelque chose d'aussi fort…

— Eva, est-ce que tu mesures le compliment à sa juste valeur ? Ces gars-là enregistrent tellement de merdes qu'ils en ont perdu leur vocabulaire, question louanges. Alors, quand ils disent que ça fait une paye qu'ils n'ont pas entendu quelque chose d'aussi puissant, ça veut dire depuis Julien Clerc, depuis Fabienne Thibeault, depuis Céline Dion… Tu situes le calibre ? »

Il a passé son bras autour de mes épaules.

« On y va, belle Eva ?

— Où ça ? a dit Roparz.

— Chez moi. Le contrat est prêt. Tu viens aussi ?

— Pourquoi il ne viendrait pas ? j'ai dit.

— Ça pourrait l'ennuyer.

— Je suis concerné, non ? a dit Roparz.

— OK, mon gars, OK. Mais est-ce que je peux te demander un truc ?

— Quoi ?

— Arrête donc de braquer sur moi la mitraillette que t'as dans chaque œil. »

On a serré la main aux techniciens et on est sortis. La Mercedes était garée devant le studio. Mister Prode a mis mon sac de voyage dans le coffre, puis il a ouvert la portière avant de mon côté et l'a refermée en reluquant mes jambes. Roparz est monté à l'arrière. Je me suis assise de travers sur mon siège et j'ai posé ma main sur son genou. Je voyais bien que le loup était déjà en train d'écrire un roman noir dans sa tête : je devenais une star, je logeais dans des palaces, des pédégés et des princes me courtisaient, et lui, le quadrupède pelé, suivait un moment clopin-clopant, avant d'être largué dans la forêt, attaché à un arbre, condamné à crever.

« Belle bagnole, j'ai dit à Mister Prode, histoire de détendre l'atmosphère.

— Un tas de boue à côté des tires dans lesquelles t'as pas fini de te trimbaler, Eva. Dans un an ton problème sera de choisir la couleur de ta Rolls, et comme t'arriveras pas à te décider, t'en prendras deux.

— Rien à cirer des Rolls », a dit Roparz.

Les regards de Roparz et du producteur se sont croisés dans le rétroviseur.

« Toi peut-être, mais elle ?

— Un peu prématuré de s'engueuler à propos de Rolls-Royce », j'ai dit.

Le producteur m'a toisée.

« Dommage que tu partes dans ton foutu club. On aurait pu s'occuper de toi, d'ores et déjà. Un designer de visage... Cette coupe de cheveux, ce maquillage, il y a sûrement moyen de te mettre en valeur d'une autre façon. On devine qu'il y a mieux, là-dessous. Ton avion décolle à quelle heure ?

— Minuit trente.

— On appellera un taxi de chez moi. Tu es vraiment obligée d'y aller ?

— Faut bien qu'on bouffe, a dit Roparz.

— On ? Tu l'accompagnes ?

— Non, j'ai dit, mais au cas où vous ne vous en seriez pas aperçu, on vit ensemble, et pas seulement d'amour et d'eau fraîche. Ces deux mois de boulot, c'est pour faire bouillir la marmite.

— Impératif à ce point-là ?

— A moins que vous ne soyez plus mécène que producteur. Si vous payez l'hôtel, la bouffe et le reste jusqu'à Noël, alors d'accord, je reste.

— Ah ! Ah ! Ah ! Te fâche pas, Eva. Je te provoquais un peu. C'est pas que je pourrais pas te filer un chèque tout de suite, quoique, avec ce que je viens de raquer au studio... Mais ce genre de pension alimentaire n'est pas déductible des impôts, pas comme ce que tu donnes aux Restaurants du cœur.

— Tels qu'on est partis, on finira par y pointer aux Restos du cœur », a dit Roparz.

Leurs regards se sont de nouveau croisés dans le rétroviseur.

« T'as pas compris ? a dit le Mister Prode en serrant les mâchoires. J'ai dit à Eva qu'elle avait fini de galérer.

— A cette heure, je continue, j'ai dit. De galérer.

— T'as un boulot dans l'immédiat, non ? Ce serait pas bon pour ton amour-propre, que tu me taxes d'un chèque.

— C'est vous qui avez abordé la question, pas moi, j'ai dit. Nous, on n'a rien demandé.

— Ah ouais ? Alors, c'est le genre de conversation à la con qui fait monter la pression sans qu'on sache comment elle s'est emmanchée.

— Ce qui tend à prouver que le silence est supérieur au dialogue mondain, a dit Roparz.

— Dis donc, toi le poète ! a protesté Mister Prode. Faudrait pas oublier que j'ai balancé un max de thunes, dans ce bizness. Près de vingt bâtons, exactement. »

Cet échange aigre-doux a rafraîchi l'atmosphère. La Mercedes remontait le front de Seine par des avenues désertes : TF1, Maison de la Radio, pont de l'Alma. Dans la lunette arrière, le ciel rougeoyait encore, tandis que le capot s'enfonçait dans la nuit. On approchait du VIe arrondissement. La circulation était plus dense : des taxis déposaient des touristes à la recherche d'un Paris de cartes postales.

Mister Prode, tout en roulant, avait poursuivi un monologue intérieur. Il a dit, conclusion à laquelle il était parvenu :

« Et puis finalement ça te fera du bien, ces deux mois au soleil à pousser la chansonnette. Dans ces clubs, il y a parfois des animateurs de première bourre. Des types qui n'ont pas pu percer, pour une raison ou une autre, leur manquait le déclic, la petite goutte qui fait déborder le pot de chambre du talent, mais ils connaissent leur boulot. Je suis sûr que tu vas apprendre un tas de trucs. Et comme ça, début septembre, toute bronzée, tu reviendras en pleine forme conquérir l'Hexagone. J'aurai eu le temps de tout préparer, et si jamais ça se présente mieux et plus vite encore que je ne le pense, on ira te chercher sur ta plage méditerranéenne. Tu dois leur donner un préavis ? Remarque, on s'en balance. On sera plus à dix mille balles près. J'y pense, tu m'as laissé l'adresse ?

— Roparz ne bouge pas de Paris.

— Comment le poète va-t-il occuper son temps ? a demandé Mister Prode à Roparz en levant les yeux vers le rétroviseur.

— Il va écrire, j'ai dit. Retravailler une dizaine de chansons, de manière qu'on ait un album qui tienne la route. »

Mister Prode a grimacé.

« Ben ouais, pourquoi pas, il peut essayer. Mais n'oublie pas que je te présenterai tout ce qui compte comme paroliers. Un métier, parolier, tu comprends.

— Que je ne possède pas ? a dit Roparz.

— Tout doux, je n'ai pas dit ça. On en discutera.

— C'est tout discuté, j'ai dit.

— Ho ! Eva ! Un peu soupe au lait, vous deux, les amoureux. On en discutera, Eva. Il faudra peut-être s'adapter, humer d'autres odeurs, renifler sous les aisselles de notre fin de siècle, aller vers un public plus large. Ça, tu vois, les pros savent le faire. Il n'y a pas de honte à se faire entourer. Une question de marketing.

— A une condition... »

Je n'ai pas eu le temps de dire laquelle.

« On est arrivés », a dit Mister Prode en virant large pour monter sur un bateau, face à une porte cochère dont il a déclenché l'ouverture en appuyant sur une télécommande.

Les deux battants se sont ouverts, mais au lieu de la cour pavée de l'hôtel particulier du producteur, j'ai revu la cour de la ferme, le soir où j'avais aidé Roparz à ramener sa mère.

La cour de la ferme était en terre battue. Les pneus de la Renault 6 avaient tracé dans la boue de véritables sillons.

Nous avions franchi une colline coiffée de nuages bas pour descendre dans une vallée tamponnée d'un couvercle de crachin laiteux. A l'endroit où la départementale décrivait une courbe et s'écartait soudain, comme repoussée, de la cuvette obturée, nous avions tourné à angle droit entre deux arbres morts à la lisière d'un hallier. Pendant un bon kilomètre, la Renault 6 avait zigzagué et dérapé dans les ornières remplies de feuilles mortes d'un chemin creux bordé de ronces. Le moteur hoquetait lorsque l'eau des flaques giclait sur l'allumage. Les phares clignaient des yeux : tour à tour noire et jaune, la nuit se faisait peau de salamandre, selon que la calandre se dressait, ou plongeait, ou virait, et que la lumière virevoltait, happant de chaque côté du gué la soie floche des vapeurs du marais cardée par les racines émergées des saules.

Serrée tout contre moi sur la banquette arrière, la maman de Roparz claquait des dents, malgré le chauffage et le ventilateur poussés à fond.

Enfin la ferme est apparue, adossée à un tertre, sorte d'îlot dans les prairies inondées. Encadrée de hangars sous lesquels pourrissaient des engins agricoles, des fagots et des bottes de paille éventrées, la maison perdait ses écailles de chaux. Les brisures, que personne n'avait balayées depuis des mois, jonchaient la banquette de ciment moussu qui longeait la façade. Au-dessus de la porte, une ampoule nue sous un abat-jour en métal était restée allumée, diffusant dans la bruine un halo blanchâtre de lampe frontale de mineur. J'ai entendu un cliquetis de chaîne sous un hangar et un chien a aboyé. Roparz l'a fait taire. Refusant mon bras, la maman de Roparz est entrée chez elle. La porte n'était pas fermée à clé. Il n'y avait rien à voler dans cette masure, et si j'avais été un voleur j'aurais eu peur d'y pénétrer. Un couloir constitué de planches de bois brut teintées à la cire divisait le rez-de-chaussée en deux parties : à gauche la cuisine et un sol cimenté ; à droite une chambre, avec un grand lit et une armoire sur un plancher taché de moisi. Un cabinet de toilette avait été aménagé sous un escalier qui menait au grenier. A petits pas, en traînant les pieds comme une infirme, la maman de Roparz est allée dans la chambre. Elle s'est couchée tout habillée et a tiré un édredon en plume sur elle. Elle a fermé les yeux. A la tête du lit, une branche de buis desséchée était accrochée entre le mur et un crucifix en fer-blanc.

« Ça va aller ? j'ai dit.

— Te fatigue pas, a dit Roparz, elle ne répondra pas. Je vais faire chauffer de l'eau pour des bouillottes. Et on va boire un grog. Viens, laisse-la. »

Je l'ai suivi dans la cuisine. Au milieu, il y avait une table et quatre chaises dépareillées, face à un vieux poste de télévision. Autour, un grand évier, une cuisinière dans l'âtre de la cheminée, une gazinière, un meuble à deux corps en formica, un antique garde-manger grillagé.

Roparz a allumé le gaz sous une bouilloire.

« Elle marche, la cuisinière ? On pourrait se faire du feu.

— On peut essayer. »

Il est sorti, est revenu avec un vieux journal, un demi-fagot et quelques billettes. Il a ôté les rondelles, chiffonné en boules des morceaux de papier journal, cassé des branchettes, croisé des billettes par-dessus, remis les rondelles et mis le feu au papier par les fentes du cendrier. Au début, de la fumée est sortie par les trous au milieu des rondelles. Roparz a rouvert en grand la porte du cendrier. Le feu s'est mis à gronder. Je me suis approchée, ai tendu les mains. Roparz a entouré mes épaules de son bras.

« Drôle de night-club, hein ? »

Il avait prononcé « clube » et non « cleub », par dérision, à la manière des paysans du coin. J'ai souri.

« L'eau bout. »

J'ai rempli trois bouillottes en grès et Roparz les a chacune entourées d'un torchon.

« Tu en mets une à ses pieds et les deux autres de chaque côté, à hauteur des hanches. »

Portant les bouillottes comme trois bébés emmaillotés, je suis entrée dans la chambre. Les draps sentaient la transpiration, le rance et la saloperie que les mecs en rut avaient crachée entre les jambes de la maman de Roparz. Elle n'avait pas bougé d'un pouce, allongée sur le dos, les mains croisées sur la poitrine. J'ai disposé les bouillottes comme Roparz me l'avait dit et remonté les draps, les couvertures et l'édredon. J'ai éteint et suis restée un moment à l'intérieur. Dans l'obscurité, la chambre paraissait encore plus humide, comme si la bruine glacée s'était faufilée sous le rebord de la fenêtre démantibulée. De l'autre côté du couloir me parvenaient des bruits de chaises.

Roparz avait poussé la table et deux chaises tout contre la cuisinière qui ronflait. Deux grogs fumaient dans des verres épais. L'odeur des clous de girofle piqués dans les rondelles de citron se mélangeait à celles de la fonte chaude de la cuisinière et de la mèche de la lampe à pétrole qui charbonnait. Seule cette lampe à pétrole éclairait la pièce, maintenant. Roparz avait constitué son décor. A l'inverse de ce qu'avait produit l'obscurité dans la chambre, la lumière chaude de la lampe habitait la cuisine d'un ensemble d'êtres vivants : la cuisinière psalmodiait des chants de gorge, la mèche grésillait, le tuyau de la cheminée craquait, la maison était redevenue le havre qu'elle était jadis.

Assis face à face de chaque côté de la table, les mains en conque autour de notre verre de grog, nous regardions et écoutions la cuisinière déglutir le bois. Entre nous, sur la table, était posée une chemise à sangle, qui m'intriguait.

« Il faut que je te raconte, a dit Roparz.

— Je ne te demande rien.

— A la veillée, on raconte des histoires.

— Il y a des histoires qu'il vaut mieux oublier.

— Jusqu'à présent, ce qu'il m'a manqué, c'est un public.

— Souvent le public n'écoute pas. Il se contente de regarder.

— Tu en as assez vu pour entendre, à présent. Tu es venue pour ça. Pour m'écouter.

— Je suis ici par hasard.

— Non ! »

Il a ricané en trempant ses lèvres dans son grog.

« Pourquoi non ? j'ai dit.

— Une fille comme toi sait bien qu'il n'y a pas de hasard.

— Qu'est-ce que tu entends par une fille comme moi ?

— Une fille dont la voix change quand on l'écoute chanter. Moi, je t'ai écoutée.

— Alors, je t'écoute.

— C'est une perruque, tes cheveux noirs ? »

J'ai hoché la tête.

« Tu veux que je l'enlève ? »

Il a hoché la tête.

« Tes vrais cheveux, libère-les. »

J'ai ôté les épingles, secoué la tête, et me suis peignée avec mes doigts écartés. Mes cheveux blonds ont cascadé sur mes épaules. J'ai enlevé mes lentilles pour qu'il voie que nous avions les mêmes yeux bleu pâle.

« De qui te caches-tu ? Comme ça, tu as l'air d'une fée. »

Il a pris ma main, l'a pressée entre les siennes.

« Je vais te lire un livre. »

Il a défait la sangle de la chemise.

« La biographie d'une mère et la jeunesse d'un soi-disant poète. »

Sur le premier feuillet, j'ai lu le titre à l'envers : *Marie-Thérèse du Yeun*.

« Qu'est-ce que ça veut dire, Yeun ?

— Le Yeun, c'est ici où tu te trouves. Le marais, la tourbière hantée par les Kannerezed noz, les lavandières de la nuit qui viennent dans les trous d'eau noire laver les suaires entre le coucher et le lever du soleil.

— Tu plaisantes ?

— Non. Un lieu hanté. Ecoute, et juges-en. »

Longtemps Marie-Thérèse était restée célibataire, seule fille, devenue vieille fille, d'une famille de cinq gosses nés dans un foyer de métayers. A vingt ans ses quatre frères s'étaient égaillés aux quatre coins du pays, comme le voulait l'époque, les années 50, et la nécessité de quitter la terre et l'ambition de travailler sous l'Etat, dans les Postes ou les Chemins de fer. Jeune encore, Marie-Thérèse avait signé avec la famille un contrat dont le caractère léonin ne lui était pas apparu au départ : il avait semblé naturel qu'elle restât au pays pour s'occuper un moment des vieux, mais elle n'avait pas imaginé qu'elle deviendrait bonne à tout faire, puis soutien pécuniaire quand sonnerait l'heure de la maigre retraite, et enfin garde-malade et à jamais gardienne de vaches et de cochons. Couturière à domicile, Marie-Thérèse faisait bouillir la marmite en tâchant malgré tout de mettre de côté un petit pécule, en guise de dot qu'il fallait bien se constituer soi-même à défaut de pouvoir en espérer une de ses parents. Mais quel jeune homme aurait voulu d'un tel parti : en un seul lot une fille peu gracieuse et les deux vieux boulets qu'elle traînait ? Un vieil ours ? Un bossu ? Un boiteux ? Encore aurait-il fallu qu'elle en rencontrât, des hommes, infirmes ou non. Or elle n'avait ni le temps ni le goût de courir les bals, et ce n'était pas à la messe, où en ce temps-là les femmes priaient à gauche et les hommes à droite, qu'on dénichait un coquin. Que les clientes de son atelier de couture lui accordassent bien du courage et bien du dévouement n'était pas une consolation. Marie-Thérèse passa la Sainte-Catherine, et passa la trentaine, et puis aborda la quarantaine le cœur partagé entre ces deux sentiments contradictoires qu'éprouvent, elle n'en doutait pas, à un moment ou à un autre les âmes généreuses : le sentiment d'avoir fait œuvre de piété filiale et celui d'avoir gâché sa vie. Vers le milieu de la trentaine, quand son sort ne paraissait pas encore définitivement joué, elle s'était dit aussi que si les vieux, usés comme ils étaient, hâtaient leur trépas, eh bien... A l'inverse, quelques années plus tard, elle aurait souhaité qu'ils fussent éternels, que les rites quotidiens se perpétuassent : se lever avec le soleil, traire la vache, nourrir les cochons et les lapins, préparer le déjeuner des vieux, recevoir une cliente, servir le quatre-heures, traire la vache, cuisiner le dîner, se coucher et s'endormir en lisant *Nous deux, Bonnes soirées* et *Intimité*. Sauf l'une demeurée en pâture, les prairies fauchables avaient été louées à un paysan voisin, un célibataire taciturne, frère jumeau en solitude de Marie-Thérèse la renfermée qui ne l'avait jamais encouragé à espérer quoi que ce fût, bien qu'il ne manquât pas, à chaque occasion, de plaisanter sur la symétrie de leurs situations. Elle avait besoin de son aide pour certains travaux, par exemple drainer les fossés ou empierrer le chemin. Il accourait. Il disait qu'il fallait s'entraider, que ça lui faisait une distraction, refusait la pièce ou le billet, mais acceptait un verre de vin.

Fanch, c'était son nom, attendait son heure : que les vieux de sa voisine avalent leur bulletin de naissance et que la succession soit éclaircie. Marie-Thérèse hériterait-elle ? Ce fut le cas, malgré l'esprit de lucre de l'aîné des frères qui eut du mal à admettre que Marie-Thérèse avait mérité de demeurer dans les lieux, seule propriétaire, en récompense de sa jeunesse sacrifiée. On abandonna donc à la sœur les bâtiments et les terres humides qui les entouraient. Bel héritage que ce cloître isolé au milieu des tourbières. Pourtant, la première impression qu'eut Marie-Thérèse en sortant de chez le notaire fut d'avoir gagné sa liberté. Plus de vache à traire, plus de cochons ni de lapins à nourrir : elle vendit les bêtes et jouit pendant quelques jours d'une oisiveté organisée. Mais un matin elle s'éveilla angoissée et chancela au bord du vide : son avenir était plus qu'incertain. Ses vieilles clientes s'en iraient au cimetière les unes après les autres, ses économies fondraient, et elle serait indigente avant d'arriver à l'âge de toucher le minimum vieillesse. Alors, elle songea à vendre : le notaire le lui avait suggéré, qui s'était spécialisé dans le négoce des penty et fermettes aux Anglais. Il y avait beaucoup d'Anglais dans les parages, des gens de Londres, jeunes retraités qui craignaient l'insécurité des banlieues mais n'avaient pas les moyens d'acheter en Cornouailles ou dans le Devon où les prix étaient dix fois plus élevés qu'en Bretagne. Ces gens-là, qui avaient lu *Walden ou la Vie dans les bois*, de Thoreau, appréciaient la solitude de l'Argoat, l'âpreté de ses habitants et la relative douceur du climat, et les prix très bas. Si bas qu'ils fussent, Marie-Thérèse aurait de quoi s'acheter un studio en ville et de quoi vivoter comme retoucheuse, si elle vendait aux Anglais. Mais la ville était hostile. Elle n'y connaissait personne, alors qu'au bourg elle avait ses habitudes. Et comment reviendrait-elle honorer ses morts ? Il n'y avait plus de service de car entre le bourg et la ville, elle n'avait pas son permis de conduire et non plus les moyens de s'offrir une voiture. Elle songea à Fanch, vaguement, comme un pis-aller.

Avec le sixième sens et l'instinct de chasseur qui caractérise les paysans, Fanch choisit ces jours de doute pour se manifester. Epouser le voisin résoudrait d'un coup tous les problèmes. Tel un coin qu'on enfonce à coups de masse dans la tête noueuse d'un têtard, Fanch lui fourra dans le crâne ses arguments qui tenaient lieu de déclaration d'amour : il avait besoin d'une femme, elle avait besoin d'un homme, tout le monde avait foutu le camp, à l'horizon aucune âme sœur ni pour elle ni pour lui, en dehors d'eux-mêmes, Marie-Thérèse ne risquerait plus de crever de faim car les deux fermes réunies leur gagneraient leur pain, et peut-être que..., oui peut-être n'était-elle pas trop âgée pour fabriquer un gosse ou deux. Ils habiteraient la maison neuve que Fanch s'était fait bâtir, et se contenteraient d'entretenir la maison de Marie-Thérèse, distante d'un kilomètre seulement. Voire : ce serait leur résidence secondaire. Ils pourraient y faire la cuisine et y dormir à la saison des foins et de la coupe du bois. En tout cas, il serait facile de venir aérer aussi souvent que nécessaire, en menant les bêtes aux champs.

Un mariage simple, sans beaucoup d'invités ni de nombreux plats : ce fut comme si Robinson épousait un Vendredi de sexe opposé, docile et dur à la tâche. A toutes les tâches, au lit comme aux champs, à la cuisine comme aux paperasses, un domaine où Marie-Thérèse en remontrait à son mari. Lire et critiquer les contrats des fournisseurs d'aliments, tenir les comptes, placer l'argent, négocier des prêts au Crédit agricole, revoir les assurances, tout cela releva très vite de la responsabilité de Marie-Thérèse. Qu'elle n'eût pas épousé un Adonis, que son mari appréciât plus ses qualités de bête de somme que sa féminité, qu'il ne vît pas souvent plus loin que le bout de son nez n'affligeait en rien Marie-Thérèse. L'homme au service duquel elle s'était mise de son plein gré avait réussi à la rendre mère : Roparz naquit avant la fin de leur première année de mariage. Comme si la nature s'était épuisée à fournir cet unique et ultime effort, Marie-Thérèse ne connut pas de retour de couches. Son ventre cessa de saigner au même rythme que les lunaisons. Marie-Thérèse le prit comme une bénédiction. Débarrassée du risque de procréer de nouveau, elle put s'attacher tout entière aux buts que le couple s'était fixés : élever leur fils, et investir.

Un héritier, ça vous change la vie, à tout point de vue. Ça vous donne envie d'aller de l'avant. Et un couple à la tête de dizaines d'hectares, ça inspire plus confiance aux banques qu'un anachorète des tourbières. Ces étendues, peu propices à la culture des céréales, présentaient un immense avantage : situées à distance des habitations, on pouvait y épandre des quantités de lisier. Le porc rapportait de l'or : Marie-Thérèse et Fanch se lancèrent en grand dans le cochon, truies et porcs charcutiers. Ils crurent inventer l'intégration. Au titre d'un contrat passé entre la coopérative et eux, ils recevaient l'aliment, les cochons bouffaient l'aliment, les camions venaient prendre livraison des adultes, et le chèque tombait à la fin du mois, aussi sûr qu'un salaire.

Bientôt ils eurent le chauffage central, la télévision, un lave-linge et tout le confort. Marie-Thérèse passa son permis et ils achetèrent une Renault 6 neuve, bien pratique pour conduire et aller chercher Roparz à l'école primaire du bourg, au lieu de le laisser sous l'abribus à attendre le car de ramassage scolaire. Des nouveaux riches, voilà ce qu'ils étaient devenus.

Mais un jour Marie-Thérèse se prit à marmonner : « Ce que le bon Dieu vous donne d'une main, il vous le reprend de l'autre. »

Fanch n'avait pas pensé qu'il pourrait avoir un fils qui ne fût pas à son image : tête ronde, épaules carrées, grands pieds, grosses mains attirant à elles, ainsi que des aimants, couteaux, faucilles, serpes, outils en tout genre et volant du tracteur. Les doigts menus du petit, au contraire, c'était vers les fleurs des prés qu'ils s'avançaient délicatement pour en faire des bouquets à offrir à sa maîtresse d'école, cette feignasse de fonctionnaire qui se permettait des réflexions parce que le gosse était tout le temps enrhumé. Des vacances à la montagne, qu'elle disait, du bon air pour le changer de celui des marais. De quoi elle se mêlait ?

« Que veux-tu, rétorquait Marie-Thérèse à Fanch dans ces moments-là, on n'a pas fabriqué un paysan. C'est pas plus mal. Il fera des études.

— Et qui prendra la suite ?

— Avant qu'il arrive sur terre, il n'y avait pas plus de monde pour prendre ta suite.

— Tais-toi ! Maintenant qu'il est là, il faut qu'il fasse sa part. C'est pas le tout de regarder les petits oiseaux, faudra qu'il gagne sa croûte. Je vais pas me crever le derrière pour qu'il aille jouer les intellectuels en ville.

— Attends qu'il grandisse avant de te plaindre.

— Il promet !

— Oui, il promet, mais pas comme tu le penses.

— Le défends pas !

— Il est autant à moi qu'à toi, ce gosse.

— Telle mère, tel fils !

— Je ne suis pas allée te chercher ! »

A ce stade de l'échange, Fanch maugréait et changeait de sujet.

« Il a vidé sous les lapins comme je lui ai dit de faire ?

— Moi, j'ai vidé sous les lapins. Roparz avait ses leçons à apprendre.

— Tu le couves comme une vieille poule.

— Tu crois qu'une jeune poulette aurait voulu de toi ?

— Personne n'a voulu de toi, avant que je me présente.

— Mais qu'est-ce que tu veux ? Tu n'as pas tout ce que tu désires ? On n'est pas heureux ?

— Je m'inquiète.

— Tu ne penses qu'à toi. En général, les parents espèrent autre chose pour leurs enfants que de revivre la misère qu'ils ont eue.

— On n'est pas dans la misère.

— On l'a été.

— De quoi tu te plains ?

— C'est toi qui te plains. Pas moi. Moi, je m'estime heureuse comme ça, et je prie le Seigneur que ça continue.

— Bon, t'as peut-être raison », admettait Fanch en tranchant le pain et en posant la première tartine sur l'assiette de Marie-Thérèse, sa manière à lui de se faire pardonner.

« Il a le temps de changer, hein, le Roparz !

— Toi aussi, tu as le temps de devenir plus raisonnable », disait Marie-Thérèse.

Elle appelait Roparz, qui descendait de sa chambre, adressait à son père un regard craintif et commençait à manger un de ces plats qu'il avait appris à aimer à la cantine où il restait le midi, et que Fanch considérait d'un air dégoûté. Le gosse picorait ses pâtes au ketchup comme une grive picore des miettes sur le rebord de la fenêtre : en surveillant les hommes, prête à s'envoler au moindre mouvement de leur ombre.

On dînait en silence. Mais lorsque Marie-Thérèse se mettait à la vaisselle après avoir servi le mélange de café et de chicorée dans les verres, par-dessus un fond de vin rouge, Fanch, tout en roulant une cigarette de tabac gris, parlait sans lever les yeux de la toile cirée. Comme pour rapetisser son fils aux membres frêles, ou lui annoncer de manière détournée la monstruosité des travaux qui l'attendaient à l'âge adulte, ou bien l'effrayer tout simplement, il contait son combat du jour contre une souche qui personnifiait un titan engrappiné dans la terre, il décrivait le tracteur enfoncé dans la tourbe jusqu'aux essieux, il évaluait les monceaux de fumier tirés des étables, les tonnes de lisier épandues.

« Je vais lire, disait Roparz.

— Qu'il reste ! disait son père à la toile cirée.

— Quoi ? Tu veux qu'il te plaigne ? disait Marie-Thérèse en donnant un coup de torchon gras sur la toile cirée.

— Attends ! » disait Fanch.

De la tranche de la main, il recueillait les brins de tabac tombés du papier et les faisait glisser du bord de la table à l'intérieur de sa blague.

« Il faut qu'il participe, disait-il.

— La maîtresse m'a donné un livre à lire.

— Moi je lis pas de livres, et pourtant est-ce que je suis plus bête qu'un autre ? Hein ? Réponds !

— Pas de ma faute s'il faut lire à l'école.

— Essuie donc la vaisselle, laisse pas ta mère faire tout le travail.

— T'occupe pas de ma vaisselle. Qu'il aille lire dans son lit.

— Pas dans son lit qu'il s'endurcira.

— Je peux monter ? disait Roparz d'une voix étouffée.

— Attends ! Tu m'as pas répondu. Alors, je suis plus bête qu'un autre ? Réponds !

— Tu n'es qu'un idiot, disait Marie-Thérèse.

— Réponds ! Tu es d'accord avec ta mère ? Ton père est un idiot ? Hé, il est pas complètement idiot, lui ! Il se méfie, hein, le morpion ? jubilait Fanch en se versant un verre de rouge par-dessus son fond de café.

— Méfie-toi, toi ! menaçait Marie-Thérèse en subtilisant la bouteille de rouge. Je te laisserai pas tourner ce gosse en bourrique.

— Ta gueule, la bonne à rien ! concluait Fanch en se levant. Bon, je vais jeter un coup d'œil sur les bêtes. Y en a qui travaillent pendant que les autres se reposent.

— Je peux monter ?

— Tu m'as pas répondu. Alors, je suis plus bête qu'un autre ?

— Non.

— Non qui ? Non mon chien ? Elle t'apprend pas la politesse, la Parisienne de l'école ?

— Non, papa », murmurait Roparz, les larmes aux yeux.

Il aurait voulu être muet. Il le devint, quelque temps plus tard.

Ce fut une banale question d'étiquette qui décida de son silence.

Fanch avait une sœur, une dame, une qui avait su mener sa barque, celle-là. A vingt ans elle était partie à Paris travailler comme vendeuse au Bon Marché où elle avait trouvé chaussure à son pied en la personne d'un collègue, un titi dégoulinant de bagout – détestable, aux yeux de Fanch – qui lui fit deux gosses le temps que dura le mariage, six ans. Il la trompait, elle le trompait – « Dans les réserves, ça tronchait pire que dans les haras d'Hennebont », gloussait Fanch –, ils divorcèrent, puis Emilienne tira le gros lot. Elle épousa en secondes noces un divorcé, un receveur des PTT gonflé d'ambition à s'en péter les bretelles, qui fut muté de poste en poste, jusqu'à devenir un ponte à la direction régionale de Rennes. Fallait la voir, maintenant, la petite Bretonne, si elle pétillait et tortillait du cul. Elle avait perdu son accent, employait des mots que Fanch n'avait jamais entendus, allait au cinéma, au théâtre, s'habillait comme une femme de médecin, allait chez le coiffeur toutes les semaines, roulait en décapotable, et pour corser le tout les gosses de son premier mariage et la fille qu'elle avait eue avec le postier, tout ce beau monde-là faisait des hautes études, et ça finirait ingénieur, chirurgien, avocat, voire député ou sénateur s'il y avait eu des écoles pour ça.

De la tante Emilienne, Roparz avait entendu pis que pendre. Pute, putain, salope, chieuse, bourgeoise, fière, radine : à l'approche de la Toussaint et de la visite annuelle de l'Emilienne, son frère se débondait au cours des sinistres dîners dans la cuisine. Il lui reprochait son enfance : « Toujours peur de se salir, la garce » ; son adolescence : « Ces pots de peinture qu'elle se collait sur la figure, et je sais pas ce qu'elle se collait sur les fesses, du miel de châtaignier ou quoi, parce que tous les lascars des parages lui bourdonnaient autour de la culotte comme les frelons qui cherchent à faire leur nid dans la remise à grain » ; son départ des monts d'Arrée : « M'a laissé tout seul dans ma merde, jamais un mandat, jamais le moindre merci alors que sans moi cette ferme y en aurait plus. »

Ce fut au cours de la visite de la tante Emilienne, l'année de ses onze ans, que Roparz reçut la révélation de la duplicité de l'espèce humaine. Un Saint-Esprit aux ailes noires chut au beau milieu de la table en ce jour de Toussaint. Jusque-là, Roparz n'avait rien remarqué. Mais tout à coup, ce matin-là, il observa avec une certaine répulsion que pour cette tante honnie son père mettait les petits plats dans les grands.

Le frère et la sœur – belle lurette que le ponte les snobait, qui ne venait plus sacrifier au culte des morts de sa belle-famille – avaient rendez-vous au cimetière, après la grand-messe, et de là ils viendraient ensemble à la ferme où Marie-Thérèse serait restée aux fourneaux à préparer le grand repas.

Le matin même, pendant le petit déjeuner, Fanch ronchonna contre Emilienne. Paierait-elle sa part des chrysanthèmes ? L'an dernier, elle avait oublié.

« Oublié soi-disant, mon cul oui, fait exprès plutôt.

— Arrête de lui casser du sucre sur le dos, dit Marie-Thérèse, le jour où tu l'invites tu pourrais faire un effort.

— J'en fais ! Qui c'est qui paye ce qu'elle va bouffer ?

— Bouffer ? A chaque fois elle dit qu'elle n'a pas faim !

— Faim ou pas, elle en aura dans son assiette. S'agirait pas qu'elle dise qu'on n'a pas de quoi !

— C'est toi qui décides du menu.

— Encore heureux ! J'ai le droit de lui en foutre plein la lampe, si je veux.

— Plein la vue ! ricana Marie-Thérèse. Je t'ai acheté une chemise neuve. »

Fanch se rasa de près, s'aspergea d'eau de Cologne, boutonna sa chemise blanche sur son cou de taureau, mit son costume de marié et la cravate grise qui allait avec, donna un coup de chiffon sur ses chaussures du dimanche, mit dans sa poche le paquet de Gitanes de la Toussaint (à la Noël et au premier de l'an, c'étaient des Ninas) et dit qu'il était prêt.

Marie-Thérèse conduisit son mari au bourg (c'est assis à côté de sa sœur dans la décapotable qu'il ferait le chemin inverse à midi) et revint. Elle avait fleuri ses tombes la veille, puisqu'elle était de service le jour de la Toussaint.

De service... Tandis qu'il aidait sa mère, Roparz mesura le sens de l'expression en observant tout ce qui lui avait échappé jusque-là et lui parut soudain éclairé de l'intérieur par une lumière froide. Tout à coup, il voyait. Tout à coup, il comprenait. Ainsi qu'un jour il avait vu, et compris, la délicate architecture d'un épi d'orge, le dessin sur la peau d'une vipère, la beauté d'une tige de ciguë incrustée dans la brume rosée d'un ciel d'été, les strates d'un pan d'ardoise fiché dans le sol ; ainsi que de minuscules portions de nature un jour s'étaient matérialisées sous ses yeux à la manière d'une silhouette détourée et collée sur une feuille blanche, il eut l'impression, ce matin-là, que les sentiments, à leur tour, devenaient tangibles. Il rit à l'intérieur de lui-même. Son esprit avait éclos. Ce matin de Toussaint, il était devenu grand, et ouvrait de grands yeux.

Il voyait en relief, et non plus à plat : les bouteilles de Martini et de Saint-Raphaël (dame, fallait qu'Emilienne ait le choix) ; celles de muscadet et de côtes-du-rhône ; le service de table décoré d'oiseaux des îles ; les verres à pied ; les barquettes de macédoine achetées chez le charcutier et les tranches de jambon roulées ; les coquilles Saint-Jacques ; le chapon ; les gâteaux de pâtisserie ; le service à liqueur en faïence de Quimper – un tonnelet avec ses tasses accrochées sur les côtés, rempli la veille d'eau-de-vie de cidre colorée à la betterave rouge.

Sa mère portait un tablier de dentelle et avait mis ses chaussures de ville, elle qui d'habitude se promenait en chaussons dans la maison. Les carreaux étaient propres. L'émail de la gazinière brillait. La cour avait été balayée.

Roparz rit de nouveau, intérieurement. Il ne s'était pas rendu compte qu'on le déguisait, le jour d'Emilienne : pantalon long, chemise bleue, cravate écossaise, pull-over à col en V, et un mouchoir propre dans chaque poche. Marie-Thérèse lui avait coupé les ongles. Ses cheveux, séparés en deux par une raie impeccable, étaient plaqués sur son crâne par de la brillantine Roja.

Tante Emilienne donna trois joyeux coups de klaxon avant de couper le contact. Roparz courut vers la décapotable capotée. Tante Emilienne l'embrassa.

« Comme tu as grandi, Roparz. Je ne sais pas à qui tu ressembles... A ta tante Emilienne, je crois. Tu as les membres fins, comme moi. Tu seras un beau gars.

— Dis tout de suite qu'on ne lui donne pas à manger, grogna Fanch.

— Manquer de nourriture dans une ferme, ce serait un comble.

— Crois pas ça, y a plus d'un paysan qui tire le diable par la queue.

— De moins malins que toi. »

La tante Emilienne, remarqua Roparz, était habillée comme pour un voyage en Sibérie. Le temps n'y était pour rien. Son manteau de fourrure, sa jupe en tweed, ses bottes en cuir, c'était sa tenue de Toussaint.

Marie-Thérèse essuya nerveusement ses mains dans son tablier, embrassa sa belle-sœur et dit :

« Le repas est prêt.

— J'espère que tu n'as pas passé ta matinée à cuisiner, Marie-Thérèse. Tu sais que je grignote plus que je ne mange. En ville…

— On n'est pas en ville, ici ! coupa Fanch.

— Tu ne changeras jamais, dit Emilienne en entourant l'épaule de Roparz de son bras. Ça fait plaisir de voir qu'il y a des gens qui ne changent pas.

— C'est du lard ou du cochon ? dit Fanch.

— Ne cherche pas toujours midi à quatorze heures. »

Pendant le repas, la conversation se poursuivit sur ce ton. Marie-Thérèse et Roparz demeurèrent silencieux, se contentant de répondre aux questions d'Emilienne. Fanch se servit des rasades de vin blanc et de vin rouge, et Marie-Thérèse, au fur et à mesure qu'elle desservait, posait sur l'évier des assiettées auxquelles sa belle-sœur avait à peine touché.

A l'heure du café et du digestif, Fanch, repu, rota bruyamment et alluma une Gitane. Emilienne alluma une longue cigarette fine et proposa la traditionnelle promenade. Comme chaque année, Marie-Thérèse lui prêta des bottes en caoutchouc (qu'elle avait lavées et brossées la veille), Roparz chaussa les siennes et sa mère dit qu'elle préférait rester débarrasser.

« Tu devrais changer de chaussures, dit-elle à Fanch.

— Quoi ? c'est pas si sale que ça, autour. C'est une ferme, pas les Grands Boulevards. »

Fanch semblait prendre un malin plaisir à souiller ses chaussures du dimanche en faisant à sa sœur les honneurs des installations, anciennes ou nouvelles.

Roparz suivait, silencieux, et comprenait que sa tante se fichait pas mal des mangeoires neuves, du nouveau silo, de l'extension de la fosse à lisier. Elle sacrifiait à un rite, accordant à son frère la politesse d'une attention bien feinte. Ensuite, et Roparz espérait chaque année que la proposition se renouvelle, Emilienne disait qu'elle irait bien jusqu'aux marais et Fanch répondait qu'il les voyait assez, ces prairies, ces tourbières et ces trous d'eau, qu'elle y aille donc toute seule, si elle y tenait tant.

Emilienne et son neveu partaient d'un bon pas par le sentier qui traversait les marécages. La tante interrogeait son neveu sur ses résultats scolaires, sur ses loisirs, lui demandait si cette année il accepterait de venir passer les vacances de Noël à Rennes (Roparz disait oui, son père disait non) ; lui demandait ce qu'il voulait faire plus tard (professeur de lettres). Elle s'inquiétait : Tu ne t'ennuies pas trop ? Et l'an prochain, comment feras-tu ? Seras-tu pensionnaire au lycée ? « Oh, mais dis-moi, maintenant que nos oiseaux se sont envolés du nid, ça te plairait de venir au lycée à Rennes ? Tu logerais chez nous et tu rentrerais chez toi pendant les vacances. » Intimidé, Roparz répondait en hochant ou en secouant la tête, acquiesçait d'un sourire.

« J'ai l'impression que cet endroit ne favorise pas ton épanouissement », dit tante Emilienne, soucieuse.

Roparz comprit à peu près ce qu'elle voulait dire. Il haussa les épaules.

« J'en parlerai à mon imbécile de frère. »

Roparz haussa de nouveau les épaules. Seul comptait à ses yeux cet instant béni. La présence de sa tante en manteau de fourrure illuminait le Yeun. Là où se posait le regard d'Emilienne une étrange lumière blanche soudain détourait les arbres, les taillis, les herbes sèches, les joncs et les souches sur l'ombre du marais. La rivière, à laquelle ils arrivèrent bientôt, n'était plus l'eau qu'on pompait pour abreuver les porcs, mais un être vivant qui bruissait en se faufilant à travers les racines des charmes. Les pierres de l'ancien lavoir n'étaient plus ces noires paillasses infestées de vers et de larves, mais une baignoire d'onyx où tourbillonnait une eau phosphorescente. A leur approche, des truitelles s'enfuirent se cacher sous les berges.

« C'est ici qu'on lavait le linge. La roue de la brouette s'enfonçait dans la boue. Je ne te raconte pas... »

Tante Emilienne avait déjà dit ça l'an dernier, mais pour rien au monde Roparz ne l'aurait accusée de radoter. Au contraire, il eût été déçu si elle n'avait pas parlé de la brouette.

Ils franchirent le gué, des grosses pierres que leurs aïeux avaient jetées à la rivière, et revinrent par le bois de mélèzes.

« Brr, sinistre ! » plaisanta tante Emilienne.

Elle dit : « Comme si cet endroit n'était déjà pas assez obscur... On devrait interdire de reboiser. »

Roparz avait lui-même songé à cela : pourquoi recouvrir les landes de ce linceul sous lequel crevaient les plantes et que fuyaient les passereaux ?

Oiseaux : tous deux pétrifiés, près de la maison ils observèrent un merle à bec jaune se gorger de baies rouges. Perché sur un rameau, il piochait dans les grappes, la tête en bas, dans une position acrobatique qui n'était pourtant pas nécessaire car il aurait pu, à l'inverse, se percher sur une branche basse, au beau milieu des grappes, et se gorger sans effort. De façon bizarre, il associa l'attitude de l'oiseau noir à celle de la tante Emilienne. C'était une idée qu'il n'aurait su formuler précisément mais qui avait à voir avec ceci : ses fourrures, ses bijoux, sa petite voiture de sport, n'était-ce pas une façon de se tenir en déséquilibre, afin de mieux consommer les souvenirs du Yeun ? Ils comptèrent : le merle avala douze baies (« Tu te rends compte, Roparz ? Où peut-il loger tout ça ? »), puis Emilienne siffla, intrigué le merle releva la tête de travers, et s'envola.

Roparz se retint de dire quelque chose qui aurait sans doute plu à tante Emilienne : il avait pensé lui avouer que sa mère pestait contre les merles et les grives qui se gavaient de baies de lierre et de sureau bien mûres, et venaient ensuite sur les rebords des fenêtres dégorger leur trop-plein, laissant sur le ciment des taches violettes que la pluie n'effaçait pas. Confier à tante Emilienne que sa mère n'aimait pas les oiseaux eût été lui avouer qu'il la considérait comme inférieure à elle.

Les joues rougies par la marche et l'air vif, ils ôtèrent leurs bottes sur la grille devant la porte et entrèrent, Roparz sur ses chaussettes, tante Emilienne sur ses bas.

« Mets tes chaussons, dit Marie-Thérèse à son fils.

— Vite, mes bottes ! dit tante Emilienne en sautillant comme si elle marchait sur des braises.

— Ah ! Evidemment, le ciment c'est pas de la moquette, dit Fanch.

— Hé, vous avez l'habitude, vous », dit Emilienne en riant. Elle enfila ses bottes en cuir, bottes si souples qu'on aurait cru qu'elles étaient en coton, et se frotta les reins à la chaleur de la cuisinière.

« Ça y est ? dit Fanch du fauteuil où il était affalé devant la télévision.

— Ça y est quoi ? dit Emilienne.

— T'es arrivée à l'âge où t'as besoin de te chauffer le derrière ? Dans le temps, t'avais un foyer dans le cul. Foyer ouvert plutôt que fermé, je crois bien. »

Tante Emilienne se domina.

« Ne sois pas grossier. Vous avez faim, vous ? Remarque... Roparz, ça nous a creusé un peu, cette marche, hein ? Vous savez que Roparz et moi on s'entend comme larrons en foire ? »

Sourcils froncés, Marie-Thérèse fourgonna le cendrier de la cuisinière.

« C'est ton filleul, dit-elle.

— Filleul ? s'étonna Emilienne. Ah oui ! Tu vois, Roparz, tu devrais m'appeler marraine. J'avais oublié. Il est vrai qu'aucun des nôtres n'a été baptisé.

— Des gosses de divorcés, ricana Fanch.

— Le divorce n'a rien à voir là-dedans, dit Emilienne.

— Vous avez économisé trois baptêmes et trois communions, et donc trois gueuletons.

— Pourquoi aurions-nous besoin de prétextes pour nous recevoir les uns et les autres ?

— Entre Rennes et ici, la route est à sens unique.

— Il ne tient qu'à vous de venir. Roparz aimerait bien, n'est-ce pas, mon filleul ? Nous avons parlé de son avenir. On a parlé des excellents lycées qu'il y a à Rennes, ajouta tante Emilienne en adressant un clin d'œil à Roparz.

— Qu'est-ce qu'il irait foutre à Rennes ? râla Fanch. Il ira au collège du bourg, comme les autres gosses du coin.

— Nous en reparlerons. Tiens, à la Noël, quand il viendra à la maison.

— Nouveau, ça ! dit Fanch. J'étais pas au courant. »

Il se resservit un verre de vin.

« J'aime pas quand on décide des choses derrière mon dos.

— Il n'y a rien de décidé, dit Emilienne.

— Je t'ai fait du thé, dit Marie-Thérèse.

— Du ceylan ?

— Du Lipton, dit Maric-Thérèsc, c'est tout ce que j'ai trouvé au bourg.

— Je l'adore, dit Emilienne.

— Et on a sorti tes tasses et ta théière », se moqua Fanch.

La première fois qu'Emilienne avait osé demander du thé au lieu de café remontait à une bonne demi-douzaine d'années. Le café du goûter était si fort et si amer que quatre pierres de sucre l'adoucissaient à peine, et lorsqu'on y versait de la crème prélevée à la louche à la surface de la jarre de lait cru, le mélange prenait l'aspect d'un mortier gras, sinon sa consistance. Rien que la couleur suffisait à donner la nausée à un estomac délicat. Celui d'Emilienne l'était devenu qui, au demeurant, avait ce jour-là à subir le grand repas de midi. La traditionnelle promenade autour des marais n'était pas étrangère au souci d'aider à la digestion et de préparer le regard à la vue, en elle-même réplétive, de la table du goûter. Plat de charcuterie – jambon blanc, saucisson à l'ail, mortadelle, lard rôti, pâté de tête et de campagne –, cornichons, crêpes, pain blanc, pain noir, beurre, confiture, quatre-quarts et gâteau breton.

Cette année-là, il y avait assez longtemps, tante Emilienne avait apporté une boîte de thé. Marie-Thérèse avait fait chauffer de l'eau dans une casserole où elle avait ébouillanté une pincée de feuilles qu'elle avait laissées cuire à gros bouillons. Elle avait servi le liquide clairet dans un bol d'un demi-litre.

L'année suivante, Emilienne avait apporté un service à thé et, sous prétexte d'aider à la tâche, avait discrètement enseigné à Marie-Thérèse l'art de l'infusion. La leçon fut bien apprise et la préparation du thé d'Emilienne entra, de plain-pied avec les chrysanthèmes, le grand repas de midi, la promenade digestive et le reste, dans le cérémonial de la Toussaint.

Le breuvage versé dans l'unique tasse qu'on sortait du buffet, avec sa soucoupe, s'il vous plaît ! n'était pas moins précieux ni moins mystérieux que le vin de messe invisible au fond du ciboire. Le soir, une fois tante Emilienne partie, Roparz pour essuyer cette tasse choisissait un torchon propre et s'identifiait au recteur officiant qui, après avoir effacé les dernières traces du sang du Christ, recouvrait du manipule le vase sacré.

Roparz osa formuler la requête qui lui avait maintes fois brûlé les lèvres : « Moi aussi, je peux boire du thé ?

— Tu vas pas boire ça ? dit Fanch.

— Bien sûr qu'on va partager, Roparz, dit tante Emilienne. Où sont les autres tasses ?

— Dans le bas du buffet », dit Marie-Thérèse.

Roparz se précipita et remplaça son bol par une tasse et une soucoupe en porcelaine blanche discrètement décorées d'un fil d'or.

« On dirait des Angliches qui jouent à la dînette, se moqua Fanch.

— Il n'y a pas qu'en Angleterre qu'on boit du thé. Les Chinois, les Russes, les Arabes, les Turcs, les...

— Ça va, j'ai pigé. Tout le monde sauf les ploucs dans notre genre, quoi !

— Tous les goûts sont dans la nature. Je voulais juste te dire que le thé n'est pas une boisson exclusivement féminine.

— Rien à foutre de ta pisse d'âne ! »

Fanch piqua la pointe de son couteau dans une tranche de jambon et la posa sur un morceau de pain en la pliant avec ses doigts.

« Passe-moi les cornichons, Marie-Thérèse. »

Emilienne servit le thé sous le regard attentif et émerveillé de Roparz.

« Moi, je le prends nature, sans lait ni sucre. Essaie. Mais je dois te dire qu'il n'est pas recommandé, plaisanta-t-elle, de tremper son pain-pâté dedans. »

Fanch haussa les sourcils.

« Tu te privais pas de tremper, toi, dans le temps. Et mange donc, au lieu de dégoiser. Tout est sur la table. »

Emilienne coupa en deux un morceau de gâteau breton et commença de grignoter, la main gauche sous sa main droite, paume ouverte, pour recueillir les miettes.

« Et toi, tu manges pas ? demanda Fanch à Marie-Thérèse.

— J'ai pas eu le temps de m'asseoir, jusqu'à présent.

— Eh ben, pose tes fesses sur ta chaise et mange.

— Il est temps que je te serve ton café, je crois. T'as assez tiré sur le rouge. »

Fanch remplit de nouveau son verre de côtes-du-rhône, le lampa et le tendit à Marie-Thérèse.

« Qu'est-ce que t'attends ? »

Marie-Thérèse remplit les deux bols. Fanch couvrit le sien de ses deux mains.

« Pas de crème. Laisse une place pour un coup de fort. »

Marie-Thérèse balaya la table du regard. La bouteille de lambic ne s'y trouvait pas.

« J'irai la chercher moi-même. Pose ton cul, tu me donnes le tournis. »

Enfin assise, et plus par obéissance que par appétit, Marie-Thérèse emplit son assiette de charcuterie variée.

« Et l'amateur de thé, il tient à sa ligne, comme sa marraine ? dit-elle, hargneuse.

— J'ai pas tellement faim, dit Roparz.

— Allez, on va manger une crêpe et la tremper dans le thé, dit Emilienne. Une crêpe, il y a droit de la tremper.

— Aussi noir que du café, ton thé, dit Marie-Thérèse.

— Plus il est foncé, moins il est fort.

— Tu nous expliqueras ça, ricana Fanch.

— Tu l'as goûté ? » demanda Emilienne.

Roparz but une gorgée de thé, qu'il garda en bouche. C'était miraculeux, chaud et rafraîchissant à la fois. Il eut l'impression de déguster un philtre qui lui ouvrait l'accès à un monde de plaisirs raffinés. Rétrospectivement, il détesta le café de sa mère. Il se promit de ne plus boire que du thé, mais imagina aussitôt les obstacles qu'il aurait à surmonter.

« Alors ?

— Drôlement bon !

— Te voilà converti, mon neveu. La prochaine fois, j'apporterai du thé de Chine. Tu verras la différence.

— Converti à la cuisine bourgeoise », dit Fanch en crachant une peau de saucisson.

Emilienne adressa à Roparz un sourire de connivence. Comment ces deux-là pouvaient-ils être frère et sœur ? s'interrogea le garçon. De même qu'il lui avait semblé que le Yeun avait été éclairé par la grâce de la présence de sa tante d'une lumière surnaturelle, de même ce sourire complice modifia sa perception des choses, mais dans un sens négatif, cette fois. Cette complicité ironique révéla à ses regards le ciment graisseux le long de l'évier et de la cuisinière ; la moisissure au bas des murs ; le calendrier des Postes accroché à son clou rouillé ; la pauvreté du formica des éléments de cuisine. Ses oreilles perçurent des bruits de mastication. Comme dans un cauchemar, la bouche de son père sembla s'agrandir, béante : à l'intérieur tournaient le pain, les cornichons et le saucisson, ainsi que le son et le vieux pain dans l'ancien pétrin où on préparait le manger des lapins.

« Allez, prends une crêpe puisqu'on t'a dit ! » maugréa Marie-Thérèse.

Roparz prit une crêpe de froment, la déplia, la tartina de beurre salé, puis redressa la tête, en quête du pot de confiture de rhubarbe.

Sa mère connaissait ses goûts pour le mélange salé-sucré.

« Tiens ! dit-elle, la voilà, la rhubarbe. A condition que la confiture de chez nous soit encore à ton goût.

— Il n'y a pas meilleure rhubarbe que la tienne, dit Emilienne.

— Pas étonnant, ricana Fanch, les plants bordent la fosse à lisier.

— Je sais, ils ont toujours été là. La fosse est venue après.

— Ah, pardon, c'est vrai, on aurait tendance à oublier que tu as vécu ici. »

Le couteau à la main, Roparz fut saisi d'un dilemme des plus difficiles à résoudre. Il n'y avait pas de cuiller dans le pot de confiture et il pressentait que les bonnes manières de tante Emilienne interdisaient de plonger son couteau graissé de beurre directement dans la confiture. Pourtant, c'était ainsi qu'on pratiquait, à la maison. Réclamer une cuiller ? Aller en prendre une ? Il hésita. Déjà qu'il buvait du thé, dans une tasse posée sur une soucoupe ; déjà qu'il ne faisait pas honneur au plat de charcuterie. Que dirait son père ? « Une cuiller ? En argent ou en or ? Demande à ta marraine, c'est la reine des chichis ! »

Roparz décida de ne pas donner à son père un nouveau motif de raillerie. Tante Emilienne comprendrait – elle lisait en lui. Tête baissée, conscient d'avoir tort, vis-à-vis de sa tante, de respecter les usages de la maison, il plongea la lame du couteau en acier inox, décor coquille, couverts des grandes occasions, dans le pot de confiture.

Le poing de son père s'abattant sur la table le fit sursauter.

« Qu'est-ce que c'est que ces façons ? rugit Fanch.

— Ben quoi ? s'exclama Roparz.

— Ben quoi ? Ben quoi ? Qu'est-ce que c'est que ces façons, je te dis ? Qu'est-ce que c'est que ces manières de répondre à son père ?

— Qu'est-ce que j'ai fait ? dit Roparz d'une voix tremblante.

— Qu'y a-t-il ? dit Emilienne.

— Ta gueule, toi !

— Je t'en prie ! »

Les yeux hors de la tête, Fanch se leva.

« Ton couteau ! »

Roparz regarda la lame dégoulinante de confiture et comprit.

« Il n'y avait pas de cuiller dans le pot, se défendit-il.

— Tu sais pas où elles sont ? dit Marie-Thérèse.

— Il n'y a jamais de cuiller dans le pot, dit Roparz.

— C'est ça, dis tout de suite qu'on t'a élevé comme un cochon ! »

Marie-Thérèse bondit sur ses pieds, ouvrit le tiroir du buffet, jeta au milieu de la table une poignée de petites cuillers et se rassit.

« Y en a, maintenant », dit-elle.

Roparz étala la confiture sur sa crêpe.

« Regarde ton père ! hurla Fanch.

— Il n'a pas commis un crime, dit Emilienne.

— Toi, je t'ai déjà dit de la fermer ! Ou tu la boucles, ou tu fous le camp ! Regarde ton père, morveux ! Qu'est-ce que c'est que ces manières, devant ta tante ! »

Avec une vivacité surprenante, eu égard à sa corpulence, Fanch fit le tour de la table. Roparz courut vers l'escalier.

« Arrête ! lui ordonna son père. Arrête ou tu le regretteras ! »

Roparz se retourna. Tante Emilienne secouait la tête, incrédule.

« Marie-Thérèse, passe-moi le martinet ! »

Marie-Thérèse obéit. Le martinet, qui jusque-là n'avait servi que d'épée de Damoclès, était accroché au clou, dans le coin de la gazinière, au-dessous du calendrier des Postes. Fanch l'arracha des mains de sa femme.

« Tu l'as jamais eu, mais tu l'auras, cette fois. Descends ! Descends et regarde ton père !

— Fanch, domine ta force, tout de même, dit Marie-Thérèse. Il est encore petit.

— Assez grand pour apprendre la politesse ! »

Roparz écarquilla les yeux. Sa mère, esclave de ce sauvage, de ce malpropre, de cet ivrogne, sa mère ne le défendait pas ? Au contraire, elle lui donnait sa bénédiction ?

« Arrête ton cirque ou bien je m'en vais ! dit Emilienne.

— La porte est ouverte, mais une fois que tu l'auras franchie elle sera fermée. »

Tante Emilienne se leva, enfila son manteau de fourrure qu'elle avait gardé sur ses épaules, prit son sac et marcha vers la porte.

« Descends, petit fumier ! » dit Fanch.

Tante Emilienne posa sa main sur le bec-de-cane, mais demeura près de la porte, le front contre le bois.

« Baisse ton froc ! »

Roparz crut qu'il allait s'évanouir. Il ne put se retenir d'uriner quelques gouttes. Il pensa au chat errant que son père avait tué. Son père haïssait les chats. Ce chat jaune, d'où était-il venu ? Il s'était réfugié dans la cave où Roparz avait accompagné son père – il s'agissait de trier des pommes de terre, se rappela-t-il vaguement. Aussitôt qu'il vit le chat, Fanch ferma la porte. « T'es foutu, espèce de crapule », dit-il. Les chats sentent le danger, sentent la mort. Celui-ci grimpa au mur, à la verticale, et se tassa entre le plafond et une gouttière qui, descendant du toit par l'intérieur, alimentait une auge en eau de pluie. Fanch s'empara d'une fourche. Ramassé sur lui-même, le chat crachait. Fanch éclata de rire et planta la fourche à cinq doigts dans le corps de l'animal, l'enfonça et godilla jusqu'à ce que la bête lâche prise et, secouée de spasmes, enfourchée, soit brandie par le père, ainsi qu'un trophée, au-dessus de la tête de Roparz.

Il y avait la même férocité que ce jour-là dans les yeux du père. Roparz était le chat jaune, un animal que sa mère entendait punir : infidèle, l'ingrat avait consenti à la caresse de la belle-sœur en manteau de fourrure. Ça se paie !

« Alors, j'attends ! »

En sanglotant, Roparz descendit les quatre marches et se tint droit face à son bourreau.

« On fait le fier ? »

Roparz délaça sa ceinture, baissa son pantalon et resta en slip, un slip qui bâillait, trop grand.

« On a pissé dans son froc ? A la bonne heure !

— S'il te plaît, regarde, tante Emilienne », hoqueta Roparz.

Tante Emilienne se retourna, et Roparz eut un sourire d'ange. Fou de rage, son père l'empoigna par le col, le fit basculer sur sa cuisse et commença de lui flanquer sur les cuisses et les jambes des coups de martinet. Morsures, brûlures, ordure, ce furent là les premières rimes que trouva l'enfant. Il serrait les dents. Aux mouvements du corps du bourreau il devinait le bras qui se levait, il se raidissait, et puis les lanières de cuir sifflaient. Sifflements, ahans.

« Ça suffit, dit Marie-Thérèse, il a eu son content. »

D'un coup de genou, le père envoya l'enfant bouler sur le ciment. Roparz se mit debout. Tante Emilienne pleurait. Il fixa son père dans les yeux.

« Baisse les yeux ! Baisse les yeux ou je recommence ! »

Roparz ne baissa pas les yeux. Il releva son pantalon et boucla sa ceinture.

« Salaud ! Je te tuerai, comme tu as tué le chat !

— Quel chat ? » s'esclaffa le père.

Roparz s'enfuit dans sa chambre, tante Emilienne sortit en claquant la porte, et quelques secondes plus tard Roparz entendit sa voiture démarrer, puis son père dire : « Tu vois, j'avais raison de me méfier, elle a saisi le prétexte pour pas payer sa part des chrysanthèmes.

— M'est avis qu'elle est pas près de la payer », dit Marie-Thérèse.

« Cette histoire pourrait s'intituler "naissance d'un poète", a dit Roparz.

— Ça s'est passé ici ?

— Rien n'a changé, sauf l'année et l'image sur le calendrier des Postes, toujours accroché au même clou. On se refait un grog ? Cette nuit va être tout entière consacrée à la parole, je crois. A moins que cela ne t'ennuie.

— J'aime les nuits magiques.

— Magique, c'est le mot : il y aura des histoires de magie noire. »

L'eau frémissait dans la bouilloire posée sur le coin de la cuisinière. Roparz a versé le rhum dans les verres, puis l'eau.

« Tu dormais là-haut ?

— Je dors toujours là-haut. Tu veux voir la grotte de l'anachorète ?

— Et ta mère ?

— Ne t'inquiète pas. Elle va dormir jusqu'à demain midi. »

A mi-hauteur de l'escalier, Roparz a dit : « J'étais sur cette marche quand il m'a ordonné de descendre.

— Tu as dû être mortifié.

— Mortifié ? Mort ! Liquidé ! J'ai directement sauté dans l'âge adulte. J'ai mué d'un coup en abandonnant ma première peau sur les marches. Et plus tard, ce soir-là, quand j'ai entendu le sommier grincer, en bas, j'ai aussi compris que mon père était un mâle et ma mère une femelle.

— Drôles de mots.

— Oui. Cette nuit-là, j'ai voulu devenir écrivain. J'ai su que tout ce que je tairais, je l'écrirais. Je suis devenu muet et j'ai rempli des cahiers. »

Un simple matelas dans un coin, une couette, deux lampes de chevet aux abat-jour de guingois, une machine à écrire et des livres et des livres, entassés sur des planches reposant sur des briques qui cernaient la soupente. J'ai frissonné.

« Il fait froid.

— Dans une heure il fera chaud. »

Roparz a touché du plat de la main le conduit de la cheminée.

« Il suffit d'entretenir le feu dans la cuisinière. Tu comptes rester ?

— Oui.

— Alors, Versailles ! Illuminons ! »

Roparz a allumé un chauffage d'appoint à alcool, comme un gros phare constitué d'une lampe et d'un jeu de miroirs compliqué qui diffusait autant de lumière que de chaleur.

« Redescendons, si tu veux connaître la fin de l'histoire. L'adolescence et la mort du poète.

— Mais tu me disais que tu venais de naître poète, et tu n'es pas mort.

— Moi non, mais le poète, je crois bien que si. »

Le lendemain, le père joua celui qui avait oublié. La mère se rendit à la pharmacie du bourg acheter une crème adoucissante et tendit le tube au garçon en lui disant simplement : « Tiens, j'ai acheté une crème spéciale. Et tu mettras ton pantalon long pour aller à l'école. »

Comment aurait-elle pu deviner que ce n'était plus à son enfant qu'elle s'adressait mais à un cerveau d'adulte, pour quelques années encore enfermé dans le crâne d'un jeune garçon à figure d'angelot, une sorte de monstre hydrocéphale qui avait décidé d'adopter l'hypocrisie comme règle de survie ? Merveilleuse, amicale, miraculeuse hypocrisie ! Drap noir dont le photographe couvre sa tête afin de ne pas voiler la plaque au moment du déclenchement de l'obturateur, rideau derrière lequel il se dissimule afin de mieux distinguer ses personnages et leur décor à l'envers, en pleine lumière. Oui, capuche et cagoule que l'hypocrisie, mais aussi poudre argentée qui révèle les contours, emplit les rides et nimbe les lèvres.

Docile en apparence, Roparz jubilait intérieurement, se régalait de sa nouvelle clairvoyance, de sa formidable et soudaine lucidité : ses parents étaient vieux, rustauds, abrutis et incultes, plus préoccupés de leurs embarras intestinaux que du sort de l'univers. Comment ne pas en rire ? La mère un jour dut subir une légère intervention chirurgicale qui nécessita une anesthésie générale et une hospitalisation de quarante-huit heures. Lorsqu'elle revint à la ferme, la première question que lui posa le père fut : « T'as réussi à aller à la selle ? » Un matin sans y aller, et à midi ils piochaient dans le flacon de dragées Fuca. Ils voulaient chier aussi fréquemment et aussi aisément que leurs vaches.

La découverte fulgurante de la médiocrité de ses origines à la faveur de son modeste martyre – une vingtaine de coups de martinet, mais dans quelles circonstances ! – éveilla en lui un double désir de revanche : sortir au plus tôt de ce milieu et se venger de son père. Avec une infinie patience de jardinier, il cultiva ce désir. Il ne rongeait pas son frein, ni ne comptait les semaines et les mois : il attendait, certain que son jour viendrait. Et il s'y préparait : en prévision du pugilat qu'un jour il provoquerait, il se mit à faire du sport, s'attela aux travaux de force, chez lui ou dans les fermes alentour, et dans ce second cas en y puisant l'avantage de gagner l'argent nécessaire à l'achat de livres, des livres qu'on ne lui aurait jamais offerts – des romans, pensez donc ! N'ayant pas perdu toute sa naïveté, il se paya un dictionnaire, dans le seul but d'y puiser des kyrielles de questions qu'il expédiait au « Jeu des mille francs ». Questions difficiles, questions banco et superbanco. L'oreille collée au poste à chaque fois qu'il en avait le loisir, il attendait, fébrile : a) que l'animateur prononçât son nom ; b) que les candidats chutent. Il ne reçut jamais de mandat. Il acheva ses années de collège en tête de sa classe. L'année de ses quinze ans, avant la fin du second trimestre de la classe de troisième, au cours duquel on devait décider de son orientation, il s'entraîna à la bagarre, écrivant dans sa tête le dialogue, choisissant les coups à assener à un père de soixante ans, encore solide sans doute, mais lent à la détente, lourd et vulnérable. Il l'assommerait, le traînerait au bord de la fosse, lui enfoncerait la tête dans le purin, le forcerait à accepter la proposition que tante Emilienne avait trois années de rang renouvelée par écrit à l'époque des vœux – elle n'était plus venue à la ferme depuis le fameux soir. Oui, il irait au lycée à Rennes et vivrait chez sa tante. Oui, il forcerait le père à implorer pardon. Il lui briserait les os à coups de manche de pioche. Et c'en serait fini de son règne de patriarche.

Le sort lui épargna cette peine et le priva, à n'en point douter, du plaisir de cogner à mort, à supposer qu'il en eût été réellement capable. Au lieu de cela, il allait retirer de l'observation de la lente déchéance du bougre – doux succédané offert par les dieux – un plaisir d'une autre qualité, plus fin, plus subtil et d'une longue, longue, très longue garde en bouche. Un délice que le diable aux fourneaux champêtres concocta dans le faitout des vieilles superstitions.

Depuis un an environ, l'inséminateur ne quittait guère les lieux : les truies ne prenaient plus, et étaient-elles enfin prises que la plupart avortaient, ou mettaient bas des petits mort-nés, ou qui mouraient prématurément. Les vétérinaires, les conseillers de la Direction départementale de l'agriculture se succédaient au chevet de l'élevage moribond. Aussi le père avait-il d'autres soucis en tête que le choix du lycée pour son fils, d'autant qu'il avait tiré une croix sur l'espoir qu'il reprît sa suite.

« A Rennes ? Chez ma connasse de sœur ?

— Il sera logé et nourri chez elle, dit Marie-Thérèse. Une chance pour nous et pour le petit.

— A l'œil ?

— Ben oui, elle l'a encore écrit sur sa dernière carte de bonne année.

— Bonne année, mon cul ! Sûr qu'elle se fera rembourser d'une manière ou d'une autre.

— Comment ça ? Y a plus d'héritage à partager.

— En humiliation ! Elle nous traînera plus bas que terre !

— Elle pourra pas nous mettre plus bas qu'on n'est, observa Marie-Thérèse.

— Justement !

— Justement quoi ?

— Justement, voilà pourquoi je m'en fous ! A Rennes ou ailleurs, qu'il devienne professeur ou chômeur, je m'en fous. Qu'il aille au diable ! »

Roparz se délecta de ce dialogue, bien que, poings serrés, il se fût préparé à la joie d'amocher la brute.

« Au diable ? dit Marie-Thérèse. Tu souhaiterais ça à ton fils ?

— Un fils, ce sourd-muet ? Raconte pas de conneries.

— Il est plus intelligent que nous.

— Y a intelligence et intelligence. C'est un sournois, je m'en méfie.

— Dire ça de ton fils, et devant lui ! Tu n'as pas honte ?

— Y a pas à rougir de dire la vérité !

— Le diable est en toi, mon pauvre Fanch.

— Le diable est partout.

— Si on m'avait dit que ça finirait comme ça ! On aurait pu être heureux, avec une vingtaine de vaches. A notre âge, maintenant... On a de l'argent de côté. Pourquoi on n'arrête pas les truies ?

— J'en viendrai à bout, de cette saloperie.

— Les conseillers agricoles savent plus quoi faire.

— On nous a jeté un sort, voilà l'histoire !

— Sûrement qu'à force d'en parler t'as fini par l'attirer, le diable ou quoi que ce soit.

— Oui, le diable, tu peux dire ! C'est lui ! Il a empoisonné la terre ! Mais je l'aurai, n'aie pas peur ! Oh que oui, je l'aurai, cette saloperie ! Et les autres cons de la DDA qu'ils mettent plus les pieds ici, ou c'est à coups de fusil dans le cul qu'ils repartiront ! »

Le fusil de chasse, par mesure de précaution, Roparz le démonta et cacha les canons juxtaposés d'un côté et la crosse de l'autre.

Un conseiller agricole avait décrété que les truies manquaient de fer : on ajouta du fer dans l'aliment, et ce fut l'hécatombe. Un autre conseiller eut l'idée de faire analyser l'eau du puits : elle contenait du fer en abondance. Comment le premier imbécile avait-il pu conclure à une carence, alors qu'il y avait déjà un excès de fer dans l'eau ? Un troisième conseiller conseilla d'effectuer un forage, afin de trouver de l'eau à peu près pure. On fora à une profondeur de soixante-quinze mètres, ça coûta des millions : l'eau ne contenait plus de fer, mais d'autres poisons. Les truies continuèrent de se rendre à la mangeoire en chancelant, avant de s'écrouler. L'élevage ne rapportait plus un sou. On dut casser la tirelire des livrets d'épargne.

Roparz ne suivit pas la déchéance au jour le jour, puisque aussi bien il vivait à Rennes, dans l'aisance et le bonheur. La générosité de tante Emilienne l'exemptait du devoir de se préoccuper des soucis pécuniaires de ses parents – seraient-ils ruinés sous peu qu'il continuerait néanmoins ses études, car tante Emilienne avait une fois pour toutes banni de son vocabulaire le mot « pension ». C'est donc avec un extrême détachement, amplificateur de sa jubilation, qu'il constatait, lors de ses brèves apparitions, l'évolution du mal.

Le père ne se promenait plus sans un pendule en poche. Aucun conseiller agricole n'approchait plus de la ferme. C'était le pendule qui déterminait la période de fertilité des truies : oscillait-il au-dessus des groins qu'on appelait l'inséminateur. C'était le pendule qui disait si l'eau était bonne pour les bêtes ou non. C'était le pendule qui décidait de la date des semis d'orge et de blé d'hiver. Et le pendule se trompait plus souvent qu'à son tour. Au lieu qu'il suspectât les qualités divinatoires de son fil à plomb, le père mit en doute sa propre compétence à interpréter ses signes. Il appela à l'aide un escroc, qui se faisait appeler mage. Le mage gravitait et sévissait en décrivant son orbe mercantile autour d'une librairie de la ville spécialisée dans les ouvrages ésotériques. Un jour qu'il s'y rendit afin de compléter sa bibliothèque, le père raconta son histoire à la libraire, une bonne dame couverte de bijoux en forme de croix, de lunes, de soleils et de bien d'autres figures géométriques plus insolites les unes que les autres. Elle dit : « J'ai l'homme qu'il vous faut », décrocha le téléphone et composa un numéro à deux chiffres. L'homme providentiel arriva aussitôt. Rien d'étonnant à cela : elle avait simplement sonné à l'étage du dessus. La libraire et le bonhomme vivaient un concubinage à but lucratif.

L'habileté de ce mage-là consistait à éviter l'excentricité. Court sur pattes, replet de corps et rond de visage, il promenait sous un béret basque et des paupières mi-closes qui atténuaient l'éclat métallique de ses pupilles une bobine réjouie des plus avenantes ; et n'eussent été son costume de velours noir et sa chemise rouge vif, unique concession à la nécessité de se différencier un brin du commun des mortels, on l'eût facilement pris pour un président d'amicale de boulistes qui triche de façon épatante et ne rechigne pas à remettre la tournée. Justement, ultime qualité qui lui valut de gagner dès les premiers verres partagés la confiance inébranlable de son client : le mage tenait la boisson. N'importe quelle boisson. Bière, vin rouge, vin blanc, cognac, lambic, il ne craignait aucun liquide, à l'exception sans doute de l'eau bénite, s'il commerçait vraiment avec Satan, ainsi qu'il s'en vantait.

Le mage rassura immédiatement – si l'on peut dire – le soi-disant envoûté. Il était bien connu que le Yeun où il habitait n'était que l'antichambre du marais des enfers. Là œuvraient les lavandières de la mort, aux ordres des sorcières. Le Fanch ayant longtemps vécu en parfaite harmonie avec ces êtres-là, un événement avait dû se produire qui avait mécontenté les esprits et éveillé leur ressentiment. Lequel ? Autour d'une bouteille de lambic, à la ferme, on se livra à un semblant de maïeutique rustique.

« On se tutoie et tu m'appelles René, dit le mage. Je suis ici pour vous aider. Cherchons ensemble, Fanch. Et toi aussi, Marie-Thérèse. »

Quel affront, quelle faute, quel péché avait-on pu commettre ? Couper des arbres à l'époque de la sève remontante ? Egorger des poulets le jour de la lune noire ? Peut-être, peut-être, concéda le mage en empochant le don (on ne parlait pas d'honoraires, ni de tarif de consultation, ni de rémunération de prestations, mais de dons) que Marie-Thérèse avait préparé dans une enveloppe. L'offrande au talent exacerba la perspicacité du mage. Que Fanch cherche, fouille, sonde, creuse sa mémoire. Creuse ?

« Ah ! dit l'autre, c'est qu'on a foré un puits à soixante-quinze mètres, il y a quelque temps de ça.

— Près du Yeun ?

— Pas loin.

— Intéressant. Elles n'ont pas dû aimer que vous preniez l'eau de leurs lavoirs.

— Les truies avortaient déjà avant, dit Marie-Thérèse.

— Ouais, mais elles ne crevaient pas, n'est-ce pas ? dit le mage.

— Le chat ! s'exclama Fanch.

— Vous aviez un chat ?

— Que non ! J'ai tué un chat errant, dans la cave, à la fourche.

— Noir ?

— Jaune.

— Oh ! la la ! se lamenta le mage, contrairement à ce qu'on pense, c'est dans les chats jaunes que se réincarnent les esprits, et pas dans les noirs.

— L'a mis un temps fou à crever, je peux te dire.

— Laisse René réfléchir », dit Marie-Thérèse.

René réfléchit.

« A la fourche, hein ? dit-il, l'air songeur. La fourche, tu vois à qui appartient cet outil, Fanch ?

— Bon Dieu ! Le diab...

— Ne prononce pas son nom, malheureux ! Pardon, maître, poursuivit René en fermant les yeux, pardon d'avoir tué ton serviteur... Allez, implorez son pardon, vous deux !

— Pardon, pardon, répétèrent Fanch et Marie-Thérèse.

— C'est déjà ça, dit René, mais ça ne suffira pas. Autre chose ?

— Quoi ça ?

— Dans ta vie passée, avant que ne se déclenchent les manifestations de la vengeance ?

— Ma foi, je vois rien.

— Ton fils ! dit Marie-Thérèse.

— Ben quoi, mon fils ?

— Vous avez un fils, Marie-Thérèse ? demanda René, onctueux comme un confesseur. Quel âge a-t-il ?

— Seize ans. Il n'est plus avec nous.

— L'ennemi de Satan vous l'a-t-il, euh ! enlevé ?

— Mais non, il est pas mort. Il fait ses études à Rennes. Il vit chez ma belle-sœur, la sœur de Fanch.

— Qu'est-ce qu'il a à voir là-dedans ? dit Fanch.

— Tu l'as battu, pour une histoire de confiture.

— Ha ! Ha ! Ha ! s'esclaffa Fanch, la belle affaire ! Je suis pas le premier ni le dernier à avoir flanqué une raclée à un morpion.

— Il était toujours fourré dans le Yeun, souffla Marie-Thérèse.

— C'est vrai, admit Fanch, qu'il avait l'air d'aimer ce coin-là.

— Racontez-moi », pria René, doucereux.

Marie-Thérèse narra l'épisode de la correction à coups de martinet. Profitant de la présence du mage, et pressentant qu'il interpréterait l'épisode favorablement – c'est-à-dire qu'il y trouverait une des causes de leurs malheurs –, elle ne ménagea pas son mari.

« Tu m'avais jamais dit ça, s'étonna-t-il. Ouais, j'ai peut-être eu tort, en fin de compte…

— Votre fils a vraiment dit : “Je te tuerai” ?

— Je l'entends encore, dit Marie-Thérèse, même que j'en ai eu froid jusque dans les os.

— Hum, un garçon de onze ans ne dit pas ça à son père. Il était possédé, j'en ai bien peur. Et Celui qui s'exprimait par sa bouche a usé d'une métaphore : par “je te tuerai”, il faut comprendre “je te ruinerai”.

— Le salopard !

— Tout doux, Fanch, ton fils n'a rien à se reprocher.

— Admettons !

— Bon, j'y vois plus clair, maintenant. Il doit y avoir des lapins sauvages du côté du Yeun, non ?

— Ça pullule.

— Tu as un fusil de chasse ?

— J'avais.

— Je sais où sont les deux morceaux, dit Marie-Thérèse.

— Ah bon, les deux morceaux ? dit René. Enfin, voilà ce que tu vas faire, Fanch. Tu vas aller tuer un lapin dans le Yeun, et tu le pendras par le cou jusqu'à ce que je revienne lui examiner les entrailles. Disons, samedi prochain.

— D'accord.

— Et prévoyez un autre don. »

Le samedi suivant, Marie-Thérèse présenta au mage les boyaux du lapin dans une bassine en fer émaillé. René les tritura, psalmodia, invoqua le bon vouloir de la tripaille, puis, en transe, rendit un arrêt écologique.

« Vous avez un peu d'argent de côté, de quoi tenir le coup ?

— On en a. J'ai vendu la baraque que j'avais avant de me marier. On s'est retirés ici, à Stang Du. Deux maisons, c'était la ruine.

— Très bien.

— Pourquoi tu demandes ça ?

— Il faut cesser de produire, dit sombrement René. Les lavandières du Yeun me disent que vous avez sali l'eau de leurs lavoirs, avec les déjections.

— Arrêter tout ?

— Non. Les petits resteront, mais les mères ne seront plus inséminées.

— Jusqu'à quand ?

— Jusqu'à une date ultérieure. Le temps qu'on nettoie tout ça.

— Les gars de la DDA ont désinfecté plus d'une fois.

— Ils n'ont pas désinfecté l'eau des lavoirs, Fanch. Par mépris ou par ignorance des lavandières de la mort. Parce qu'ils ne savaient pas.

— Et toi, tu sais ?

— Bien sûûûûr ! » dit René, la bouche en cul-de-poule.

Moyennant un nouveau don en espèces, René commença son travail de désinfection. Il bénit de l'eau à sa manière – à l'eau du puits on mélangea de l'encre de seiche –, et dans cette eau on trempa des branches de gui et on s'en alla par les fosses, hangars, granges, sentiers et prairies asperger le sol de cette solution en récitant des suppliques abracadabrantes.

Tante Emilienne lui ayant enjoint de rendre une fois le temps ses grâces à ses parents – ou du moins faire semblant –, Roparz un samedi surprit le trio occupé à traquer les maléfices. En entrant dans la maison, déjà il renifla une odeur bizarre qui semblait descendre de l'étage. L'étrange et âcre fumet le mena jusqu'à sa chambre. Muni d'un pot à soufflet d'apiculteur, le mage fumigeait à la vapeur de soufre plancher, sommier, matelas et vieux habits. René ne fut pas le moins du monde gêné. En revanche, Fanch et Marie-Thérèse sautillaient d'un pied sur l'autre : leur fils, savant en devenir, allait-il se moquer ? Non pas. Roparz entra dans le jeu du mage et n'émit aucune réflexion péjorative, moqueuse ou dubitative. Il se fit expliquer le pourquoi de la cérémonie et hocha gravement la tête.

En un clin d'œil il entrevit le moyen d'assouvir ce désir de vengeance qui n'avait pas cessé de le hanter. Tante Emilienne lui avait payé une moto et il effectuait le trajet entre Rennes et la ferme en une heure et demie environ. Qu'est-ce qui l'empêcherait, à l'insu de tous – y compris de tante Emilienne, qui le croirait au théâtre ou au cinéma –, de venir le soir semer quelque objet ou signe cabalistiques et d'être de retour à Rennes avant minuit ?

Semaine après semaine, au plus profond du Yeun, il dessina des signes à la peinture rouge. Au détour d'un sentier, il planta un masque blanc dans le tronc d'un orme desséché sur pied. Au milieu d'une prairie, il éleva une pyramide de cailloux. Entre les fourches d'un têtard, il disposa une tête de veau. Il essaima des oreilles de cochon. Fanch, Marie-Thérèse et René ne savaient plus à quel démon se vouer, mais se gardaient bien de confier leur effroi au fils possédé. Leur silence valait aveu. Mais sans doute le mage simulait-il son embarras épouvanté : il croyait plus aux effets des mauvais regards de Roparz qu'à ceux du mauvais œil. Effets providentiels, d'où qu'ils vinssent : les montants des dons croissaient de façon exponentielle.

Et puis Roparz eut l'idée de la corde. Il en rit, tout d'abord, avant que cette idée ne le trouble. Troublé de l'avoir eue, troublé qu'elle devînt obsessionnelle, troublé enfin que cette idée pût aboutir à ce que son géniteur s'en servît, de cette corde qu'il acheta finalement, il cessa d'en rire.

Un samedi après-midi, alors qu'il se grisait de vitesse à moto au hasard de routes départementales, il décida, ou bien les dieux lui soufflèrent, de faire halte dans un vieux bourg du centre de la Bretagne afin de se livrer à ce qu'il appelait ses « observations poétiques ». Au fur et à mesure que le garçon s'était éveillé au plaisir de l'étude des grands textes littéraires, son regard s'était comme élargi : la sensation, née de l'épisode du couteau dans la confiture, de voir les gens et les choses en relief s'était décuplée, et maintenant, à dix-sept ans, il était en mesure de transformer ses impressions en phrases, en vers, en aphorismes qu'il notait. Il constatait aussi que l'inspiration pouvait être provoquée : observait-il avec un peu d'attention un visage, une attitude, une fenêtre, un pot de fleurs, du linge sur un fil, la calandre d'une voiture, qu'explosait une inflorescence de mots qu'il cueillait et dont il nourrissait ses carnets. A la relecture, la naïveté de ses notes l'attendrissait.

Carnet et stylo en poche, il béquilla sa moto, bloqua l'antivol et, casque sous le bras, se mit à flâner le long de rues pavées bordées de vieilles boutiques. L'une d'elles, particulièrement surannée, était d'une vétusté odorante. Rien qu'à la regarder vous respiriez un air qui sentait la crotte de souris, le blé moisi et la pomme de terre germée. La vitrine était constituée de trois rectangles verticaux séparés par des montants en bois. Le mastic ayant séché au fil des décennies, les trois vitres vibraient dans leur cadre lorsque la porte se refermait sur le chaland attiré par un amoncellement d'objets artisanaux que les paysans achetaient, en d'autres temps, le jour du marché : jarres et pots en grès, couverts en bois, houes, sarcloirs, serpes, faucilles, fléaux, coquetiers, bénitiers en faïence. Il fallait descendre trois marches en pierre, creusées en leur milieu par quatre siècles de raclements de sabots. Admis dans l'antre, on regardait autour de soi. Du sol en terre battue s'élevaient en direction de la vitrine, ainsi que des héliotropes dont le pédoncule aurait blanchi dans l'ombre, de frêles escabeaux en pin qui servaient de présentoirs à un bric-à-brac d'une autre espèce : pointes, clous, semences de tapissier, crochets à ardoises, cadenas, chaînes, mousquetons, etc. Les trois pans de mur étaient couverts de colliers de cheval et d'une collection d'outils anciens qui n'étaient pas à vendre, un panonceau le précisait. Enfin, des dévidoirs à ficelles et à cordes de tous diamètres entouraient le commerçant, assis sur une chaise à large fond en paille qu'on réservait autrefois aux femmes grosses, près de l'âtre. Devant un petit établi où étaient rangées des lames effilées à force d'avoir été affûtées, le maître du sort se tenait prêt à dérouler les fils du destin de Fanch. Vêtu d'une blouse grise – un gris plus foncé que celui de ses cheveux et de ses sourcils –, il semblait n'avoir pas de cou. Roparz songea que sa grosse tête, une énorme poire, était posée directement sur la citrouille géante du buste et du ventre confondus.

« On peut regarder ? dit Roparz.

— Ça ne coûte rien de regarder », répondit l'homme. Il avait une voix de castrat.

« La corde, vous la vendez au mètre ?

— Au mètre et au décamètre. A l'hectomètre, si tu veux. Qu'est-ce que tu comptes faire avec ?

— Je n'en sais rien. Je les trouve belles, ces cordes, c'est tout. Belle matière.

— Chanvre ! Du vrai ! comme dans le temps ! De la corde assez solide pour tirer les tombereaux de l'ornière et de la bonne corde pour se pendre ! »

L'homme gloussa.

« Pour se pendre ?

— Oui, mon p'tit gars, je peux me vanter d'avoir vendu leur cravate à la plupart des pendus du coin, depuis la guerre. Mais toi, dis-moi, tu n'as pas une tête à te pendre, malgré ton air renfrogné. »

Roparz sourit.

« Alors, tu en veux, de la corde ?

— Je voudrais bien quelques mètres de corde à pendu. Conseillez-moi. Laquelle est la mieux ? »

Le commerçant plissa le front et se gratta la tête.

« Tu te fous pas de ma gueule ?

— Ben non, pourquoi ? C'est si extraordinaire que ça d'acheter de la corde ?

— Qu'est-ce que tu vas en foutre ?

— L'accrocher dans ma chambre, comme un lasso. Parce que je trouve ça beau. Ça rappelle la vie d'antan.

— Ah ! Là, tu me fais plaisir ! Tu serais pas un peu poète sur les bords, toi ?

— C'est cher ?

— T'inquiète pas, je te ferai un prix. Combien t'en veux ?

— Dix mètres ?

— Cent, si t'as envie ! »

Sans bouger de son siège, le vieux marchand saisit le bout d'une corde, tira et mesura dix mètres au moyen d'une règle de drapier.

« Celle-là, c'est la meilleure, mon p'tit gars. Ni trop grosse ni trop petite. Faut pas que ça coupe le kiki. Fil de caret tressé serré, le nœud glisse bien, comme une cravate en soie. Couic ! Et si par hasard le suicidé regrette son coup une fois qu'il se balance, trop tard ! L'aura beau essayer de glisser ses doigts entre la peau de son cou et la corde, bernique ! Ah ! Ah ! Ah !

— Je vais épater mes copains. Je leur dirai qu'elle a déjà servi.

— T'es un drôle de p'tit rigolo, toi ! »

Roparz arrima le rouleau de corde sur le réservoir de sa moto et reprit sa route. Parvenu aux abords de Stang Du, il cacha la corde sous une vieille souche et alla honorer ses parents de sa haine.

Les vieux ne parlaient presque plus. Transformée en un véritable automate, la mère préparait les repas, servait, débarrassait, lavait la vaisselle et s'asseyait devant le poste de télévision, médusée. Le père, avant de se coucher, processionnait autour de la cuisine – les mains jointes sur le ventre, il bafouillait des adresses à une litanie de gravures ésotériques que René lui avait vendues à prix d'or et punaisées un peu partout sur les murs – puis s'enfermait dans la chambre. Le présent et l'avenir de son fils ne l'intéressaient plus. Il communiquait avec les esprits et craignait comme la peste de perdre le contact. Ce privilège occultait tout le reste, et même l'arithmétique élémentaire : moins de porcelets crevaient, René le mage soit loué ! mais simplement parce qu'il n'en naissait presque plus. La brute mystique ignorait les calculs de pourcentages. Le taux de morbidité n'avait pas varié.

Et René le Mage, Messager de l'Eternel, ne tarderait plus à atteindre son double but : vider les porcheries de leurs occupants et assécher les livrets de Caisse d'épargne, deux opérations concomitantes à l'issue desquelles la maladie des porcs serait éradiquée. René pourrait se glorifier d'avoir réussi. Le Yeun serait guéri.

Une nuit, muni d'une torche électrique, Roparz récupéra sa corde sous la souche, en coupa deux mètres, remit le reste dans la cache, fit un nœud coulant et noua le bout de corde à se pendre à une poutre du hangar où était entreposé l'aliment des cochons. Le père ne pouvait manquer de s'y rendre le lendemain matin.

Impatient d'entendre de la brute les gémissements épouvantés, Roparz se leva sitôt que parvinrent à ses oreilles les cris aigus des porcelets se disputant les granulés. Il chaussa ses bottes et, hypocrite, prétendit vouloir aller donner un coup de main à son père. La corde avait disparu et le père n'en dit mot. Un bon ou un mauvais signe, ce mutisme ? Bon signe, estima Roparz : impressionnée, la brute préférait garder pour lui et ressasser à loisir ce terrifiant appel de la Mort.

Huit jours plus tard, Roparz noua la corde à se pendre à la branche d'un charme qui surplombait un sentier du Yeun. De cette corde-là, il n'entendit pas plus parler, lors d'une visite à découvert. Il se persuada que le Yeun était le meilleur endroit : le père avait vu la corde, pris la corde, et n'aurait de cesse de retourner voir si elle réapparaîtrait. Roparz laissa s'écouler plusieurs semaines avant d'aller nouer au même endroit une autre longueur de chanvre.

Au bout de laquelle Marie-Thérèse retrouva son époux pendu un dimanche soir.

Roparz n'éprouva ni remords ni véritable satisfaction.

Au copieux goûter d'après les obsèques, entre la charcuterie et les crêpes, entre le bergerac et le côtes-du-rhône, on cassa du sucre sur le dos du gouvernement, de l'Europe, de la coopérative. En tapant du poing sur la table, on se mit bien ça dans le crâne : Fanch n'était ni le premier ni le dernier à se pendre, il y en aurait d'autres, des cravatés. La société moderne voulait la mort du paysan.

Marie-Thérèse, par mesure d'économie, et tant qu'on y était, fit graver son nom et son année de naissance sur la pierre tombale. Le marbrier, dit-elle, n'oserait rien prendre à Roparz le jour où il n'aurait plus qu'à graver le deuxième chiffre.

Nos verres étaient vides. Roparz s'était tu et m'observait, les yeux écarquillés, comme dans l'attente du Jugement dernier. Moi, je grattais la mélasse dans le fond de mon verre et léchais sur ma cuiller le sucre parfumé au clou de girofle et au citron.

« Tu te sens coupable ? j'ai dit.

— Non.

— Si tu ne t'étais pas amusé avec cette corde ?

— Il se l'est passée lui-même autour du cou.

— Ton livre est formidable.

— Une chance, hein ?

— Quoi donc ?

— Cette jeunesse, pour un type qui voulait devenir écrivain.

— Tu l'es devenu.

— Il ne suffit pas d'écrire pour être écrivain. »

J'ai feuilleté le manuscrit. Il restait pas mal de pages.

« On continue ?

— Non. La suite me fait trop mal. Montons, il doit faire bon là-haut, maintenant. Tu liras au lit, tu veux bien ? »

J'ai dit que je voulais bien.

La soupente, avec tous ses bouquins, tous ses objets, ses grosses poutres, ses toiles d'araignée, son matelas informe, sa couette froissée et sa dame-jeanne surmontée d'un abat-jour de guingois en guise de lampe de chevet, était rassurante. J'ai eu envie de m'y installer. Pas pour une nuit, pour de bon, et j'ai pensé qu'il ne tiendrait qu'à Roparz que je déménage de mon gourbi au pignon du hangar à danser.

Il s'est déshabillé, en gardant son caleçon et son tee-shirt. J'ai enlevé ma robe et me suis glissée sous la couette. Bien sûr, je n'ai pas pu m'empêcher d'imaginer comment on ferait l'amour, tout à l'heure, un peu plus tard. Doucement, en tremblant comme deux adolescents qui n'osent pas regarder le corps de l'autre. Adossée à l'oreiller, j'ai rouvert le manuscrit.

« Tu pourrais me raconter la fin, plutôt que je lise.

— Raconter un texte écrit, c'est le détruire.

— Mais tu l'as lu !

— Lire à haute voix n'est pas raconter. Les plus beaux discours sont les discours les plus écrits.

— Et les chansons ?

— Pareil. Tu verras. J'ai écrit des chansons.

— Tu me les feras lire ?

— Tu vois, tu as dit lire et non pas écouter. Bien sûr. Pourquoi crois-tu que je suis allé t'écouter chanter ?

Tu as vraiment écrit des chansons ? »

Il a hoché la tête.

« Et leur musique ?

— Tant bien que mal. J'attendais une interprète.

— Tu aurais pu attendre longtemps, dans ce bled. Tu pourrais encore attendre longtemps. Qu'est-ce qui te dit que je saurai chanter tes chansons ?

— J'ai tout mon temps. Et puis on ne peut pas avoir eu une enfance comme la mienne, des parents comme les miens, et douter que c'était écrit, que tu viendrais. Et que tu saurais. Tu sauras. Tu me l'as démontré, quand je te regardais et t'écoutais, non ? Ta voix a changé.

— Ma voix et le reste.

— Lis.

— Il y aura peut-être une suite à écrire.

— On est déjà en train de l'écrire, nous deux. »

Il a allumé une cigarette, allongé sur le dos près de moi, le regard rivé aux poutres. Alors, j'ai lu, et c'était drôle : en lisant, j'avais l'impression d'entendre sa voix. Une voix changée, forcément, puisque ces paroles-là avaient été écrites.

Marie-Thérèse vendit les bêtes et le matériel, gratifia René le Mage d'un dernier don et le pria de ne plus paraître à la ferme. Elle le dit d'un ton indifférent, duquel ne transpirait aucun reproche, mais malgré cela l'escroc, estimant que le compte était bon, plia bagage, gravures et livres codés. Mue par un pragmatisme et un esprit de décision de bon aloi qui laissaient augurer qu'elle allait vite guérir de son deuil et accepter sa solitude, elle s'occupa de liquider sa pension de réversion et sa propre retraite. Débarrassée de tout souci, assurée d'un petit revenu qui suffirait à ses besoins, elle s'organisa une vie de menus plaisirs que les femmes du bourg lui envièrent. Délivrée de son mari et du travail, tard couchée et tard levée, Marie-Thérèse devint une hédoniste solitaire qui se rendait à la ville et changeait de robe plus qu'il n'était nécessaire, se maquillait sur les conseils de la coiffeuse qui la permanentait et lui administrait ses couleurs (un blond vénitien à faire jaser les commères), bref elle avait de quoi rendre jalouses les femmes de son âge non encore délivrées d'un mari malpropre et buveur. Pis : comme le Fanch avait dû, un jour qu'il avait bu, semer quelques confidences dans les cafés du bourg au sujet des signes et de la corde qu'il rencontrait sur son chemin, la rumeur suspecta Marie-Thérèse d'avoir elle-même incité son époux à se pendre. Cette supposition revint aux oreilles des gendarmes, mais ils renoncèrent à tarabuster la Marie-Thérèse : à supposer qu'elle avoue, au motif de quoi le juge l'inculperait-il ? Trop compliqué. Il n'empêche qu'elle fut bientôt parée d'une aura de meurtrière, plus prestigieuse que nuisible.

Marie-Thérèse se fichait de tout cela, comme elle se fichait de son fils, à qui elle ne posait aucune question sur ses études, sur son avenir, sur sa vie à Rennes. Cette indifférence était certainement la preuve qu'elle ne vivait plus tout à fait dans le monde réel. Cependant, qui aurait pu s'en apercevoir ? Pas plus qu'auparavant Marie-Thérèse ne parlait à qui que ce fût.

Un beau jour Marcel Mabic, propriétaire terrien et héritier par alliance d'une station-service, transforma son hangar à bals de noces en Modern Dancing, thés dansants et soirées rétro.

Marie-Thérèse ne se rua pas en direction de ce paradis. D'ailleurs, était-ce un paradis ? Un lieu de nostalgies, un endroit où l'on dansait les danses de sa jeunesse, certainement. Mais un lieu pour elle, allez savoir ! Dans ses souvenirs de jeune fille disgracieuse et timorée qui toujours avait fait tapisserie, ces lieux étaient sinon la géhenne du moins le purgatoire : assise sur sa chaise, les genoux joints, on ignorait sa destination. Au ciel ou en enfer ? Les jeunes gens défilaient devant vous, choisissant les belles filles, et votre regard à vous, laideron mal fagoté, ils l'évitaient. Oui, purgatoire où on purgeait un célibat auquel on s'était soi-même condamnée en n'osant pas se révolter contre la maisonnée, les quatre frères et les parents impotents.

Pleine de défiance et de convoitise à la fois, Marie-Thérèse se comporta comme ces pies qui viennent toquer au carreau pour réclamer qu'on leur jette du pain, croûtons qu'elles engloutiront, un œil devant, un œil derrière, empêtrées de leur gros bec comme Marie-Thérèse de son gros nez. Elle alla tout d'abord, de l'intérieur de sa Renault 6, observer les femmes qui descendaient des cars. Il y en avait de plus belles, d'aussi moches et de plus moches qu'elle. Cela l'encouragea à entrer : les moches dansaient autant que les beautés. Pas étonnant : beaucoup d'hommes, chauves, bedonnants et ridés, étaient bien heureux de fermer les yeux sur les fanons, doubles mentons et fessiers en goutte d'huile du beau sexe usagé. Et des robes comme elle en vit, Marie-Thérèse, avec sa machine à coudre elle pourrait s'en fabriquer autant qu'il y aurait de soirées dansantes dans une année. Il lui suffirait de descendre en ville acheter du tissu. Ce qu'elle fit. Elle choisit un taffetas changeant, dans les tons rouges, qui bruissait aux plis. Bien qu'elle n'eût pas de quoi le garnir, elle ne lésina pas sur le décolleté. Un soutien-gorge noir à bonnets compensés pallia l'avarice de la nature. Le reste suivit : épilation, parfum, sac à main, chaussures, gants, manteau, bijoux. Equipée, Marie-Thérèse se lança dans la ronde l'année de son soixantième anniversaire, inaugurant son troisième âge aussi bien qu'un tardif et véritable deuxième âge dont le sort l'avait privée.

La ronde : à l'appel des premières notes d'un tango, d'une valse, d'un paso, d'un cha-cha, d'une rumba, les bras nus se couvrent de chair de poule, les jambes se croisent et se décroisent, impatientes de se lever à l'invitation d'un Roméo grisonnant.

Feu du rasoir sur les joues de l'homme, feux du flirt sur celles de la femme, on tourne un film, on est Sissi évanouie dans les bras de l'empereur, pasionaria au corps à corps avec un espada, Casque d'or soumise à son apache, Michèle Morgan qui bat des cils, et même Natalie Wood dans *West Side Story*, pour peu qu'on se dégotte un élégant rocker coiffé d'un postiche gominé, et là ce sera l'occasion de virevolter et de laisser entrevoir ses dessous noirs, bas, porte-jarretelles et culotte de dentelle, et la peau blanche des cuisses poncées, rondes et fermes, la voyez-vous, messieurs ? Bien des jeunettes ne peuvent en montrer autant.

Conformément aux lois démographiques, chapitre espérance de vie, les dames étaient plus nombreuses que les messieurs, mais la plupart de ces messieurs avaient de l'éducation, la mémoire obligeante et un sens du spectacle à offrir. Ils possédaient surtout une conscience aiguë de leur propre image qui les incitait à assortir leurs cavalières aux différents pas de danse et à leurs propres performances. Bon valseur, on recrutait d'un coup d'œil, d'une courbette stylée, une bonne valseuse. Gymnaste du tango, on allait droit vers les reins les plus souples qui se plieraient en arrière, jusqu'au sol, à partir de la charnière de votre bras.

Maigrichonne en regard des critères paysans pour lesquels il n'est de bonne épouse que costaude, Marie-Thérèse au dancing avait à faire valoir sa minceur. Aux appas apprêtés des vénus alourdies par l'âge, elle opposait sa légèreté, sa petite taille et ses membres musclés. C'était une plume, aussi facile à manier qu'un plumeau, agile et flexible. Et muette comme l'objet. Plus encore que l'application têtue de son corps menu, son mutisme jouait en sa faveur. Marie-Thérèse ne minaudait pas, ne posait pas de questions incongrues et ne parlait jamais de ses vapeurs. Au bout de quelques semaines, il fut exceptionnel qu'elle manquât une danse, n'importe laquelle, si bien qu'elle ne vécut plus que dans l'attente des mercredis, samedis et dimanches. Contrairement à ce que disaient les commères, elle ne cherchait pas fortune. Ce fut la bonne fortune qui vint à elle, en la personne de Maurice, alias Momo. Le tombeur se présenta à point nommé. En effet, au fur et à mesure que la saison avançait et qu'on approchait de la Noël, des idylles se nouaient. Un certain nombre de danseurs eurent bientôt leur attitrée, au grand dam d'une Marie-Thérèse de plus en plus privée de cavaliers jusqu'à ce qu'elle accédât, enfin, elle aussi, au rang de dame de cœur d'un don Juan des landiers.

Comme les déserts fascinent les philosophes, les champs en jachère et les tourbières incultes attirent les excentriques. Ils circulent sur des tapis volants tressés de suffisance et de mystère. Le tapis volant de Momo était de marque Citroën : une DS Pallas chocolat métallisé, dotée de sièges en cuir havane, une bagnole de collection entretenue nickel, époussetée, brossée, étrillée et passée à la peau de chamois après chaque sortie. Au garage, les roues du carrosse reposaient sur des cartons, afin de préserver la caisse de l'humidité. Momo ne roulait jamais sans un chiffon propre dans le vide-poches et un paquet de kleenex dans la boîte à gants. Dehors comme dedans il traquait le grain de poussière, la chiure de mouche et, à la belle saison, les gouttes de résine pleurées par les pins maritimes. Unique fausse note dans cet univers de luxe et de bon goût, une camelote désodorisante, accrochée au rétroviseur, se balançait contre le tableau de bord en suivant l'inclinaison des courbes que Momo estimait avoir droit de scier. Marie-Thérèse mit du temps à comprendre qu'on pût appliquer ce verbe à des virages.

Momo n'était pas du coin, cela se voyait à sa voiture et à ses vêtements. De l'oiseau des îles il avait les couleurs chatoyantes et d'un perroquet mal élevé un argot de barrière en harmonie avec un accent traînant de gouape des boulevards. Lorsqu'ils se furent mis à la colle, Marie-Thérèse entreprit d'apprendre ce volapük, bien moins grossier finalement, convint-elle en son for intérieur, que les mots crus de feu son Fanch. Momo était un type naturel qui disait de façon naturelle et touchante : « C'est dimanche, ma poule. Prépare-toi, le Modern Dancing attend ses vedettes. Nom d'un popotin, on va le remuer, ton panier à crottes ! »

Souteneur d'esprit, sinon de profession, Maurice aimait les femmes dociles, et il n'aurait pu rêver vieille bichette plus soumise que Marie-Thérèse. Pour autant, il ne les soumettait pas par la force, les coups ou le chantage aux adieux, ses concubines. Non, il se faisait aimer et obéir par les beaux sentiments. Sentiments qu'il savait susciter et qu'il respectait, une déférence qu'il échangeait contre une participation à ses frais fixes : « Tu comprends, poupoule, ma chiotte, je suis obligé de l'assurer en tant que tire de collection. Ça me coûte la peau du cul. Les assureurs m'enviandent, tous des bandits, ces empafés poussés-du-col-dur ! » Marie-Thérèse comprenait qu'il lui fallait mettre la main au sac à main. Mais ce n'était pas cher payé : elle se promenait en Pallas, Momo lui ouvrait la portière, la refermait en prenant soin que le bas de son manteau ne reste pas coincé, faisait le tour en chantonnant, s'installait au volant et disait : « En voiture, Simone ! Vers quel palais nous dirigeons-nous, Madame ? Pressons, pressons, touchez, j'ai l'aiguille à midi ! L'heure de balancer la semoule, Marie ! Dans mon lit ou le vôtre ? Putain, Thérèse, ce que j'ai envie de te la mettre. Je sais pas si je pourrai attendre qu'on soit arrivés chez toi. Dans la chiotte, ça te dirait ? Non, j'ai jamais tiré une gonzesse dans la Pallas, à cause du cuir, tu comprends. » Moite de partout, Marie-Thérèse, de sa main rêche, vérifiait que Momo ne mentait pas, à propos de l'heure qu'affichait son aiguille.

La première fois, c'est en termes plus choisis que Maurice avait formulé son vœu de baiser. « Et si on prenait un dernier verre chez moi ?

— Où ça ?

— Chez moi, en ville.

— Vous serez obligé de me ramener.

— Je te ramènerai demain matin. »

L'invite était claire. Marie-Thérèse vivait enfin son roman-photo. Allait-elle ? Momo était-il encore capable de ? Il avouait cinquante-neuf ans, mais avait bien dans les soixante-cinq. Or la pendule de Fanch, aux alentours de son soixantième anniversaire, quelque temps avant qu'il ne se pende, s'était bloquée sur six heures et demie. Vrai qu'il n'avait plus la tête, ni le reste, à ça. Bon, ben, hé, on verra bien.

« Chez moi », dit Marie-Thérèse.

En abordant le chemin boueux de Stang Du, Maurice grogna. Il freina, s'arrêta, actionna une manette, et la Pallas se leva sur ses roues.

« T'as vu ? C'est pas une bagnole, c'est un échassier ! Drôle de tracteur de luxe, hein ? »

A force de consommer ensemble du cabernet d'Anjou entre deux danses, Marie-Thérèse et Momo s'étaient confiés l'un à l'autre. Maurice savait que sa ténébreuse chevrette était veuve et propriétaire. Marie-Thérèse savait que Momo, retraité du quai de Javel, « Toute ma carrière chez Citron », avait voulu retrouver ses racines occidentales en achetant un deux-pièces en ville. Et puis, disait-il, Paris était devenu invivable, avec tous ces crouilles, tous ces bougnoules, tous ces chinetoques. « Je t'assure, sur les boulevards, c'est plus duraille de dégotter un Blanc bon teint comme nous, légèrement rouge de figure, qu'une baleine dans la piscine Deligny. Et quand par hasard t'en vois un, t'as l'impression de coudoyer l'exotisme. » Cependant, si l'état civil et le patrimoine de Marie-Thérèse étaient aisément vérifiables, la biographie de Maurice, quant à elle, demeurait des plus floues.

Un grog au lambic, un baiser, une caresse, et on se mit au lit. En prévision de cet événement secrètement désiré, Marie-Thérèse changeait ses draps deux fois par semaine : ses deux plus belles parures, draps, taies d'oreillers et de traversin en pur coton d'Egypte brodé main.

Maurice, ses mots, ses manières et ses belles mains fines ne mentaient pas sur un point : il savait s'y prendre avec les femmes, et il s'y prenait en prenant son temps. Pas comme le Fanch, qui lui grimpait dessus, au début de leur mariage, et puis voilà, c'était tout. Marie-Thérèse se crut de nouveau au bal : il la guidait, elle suivait, et que je te pousse, et que je te repousse, et que je te serre, et que je te desserre, valse à l'endroit, valse à l'envers, à la différence que ce n'était pas une jambe que Momo glissait bientôt entre les siennes, mais les deux. Le slow horizontal dura, dura, dura, jusqu'à ce que les oreilles de Marie-Thérèse se missent à siffler. Le plaisir lui monta au cerveau en même temps que ses pieds se dressaient vers le plafond. Elle cria. Et tout explosa, partout.

« Putain, Thérèse, t'es une vraie marie-salope ! » la complimenta Momo.

Eperdue de gratitude, Marie-Thérèse lui eût tout donné pour connaître une nouvelle fois ce bonheur. Elle dut attendre le lendemain.

« J'ai beau être vaillant de la fourche à un doigt, j'évite de remettre le couvert avant que l'aiguille ait refait un tour de cadran. »

On se mit en ménage à demi. Momo partageait ses semaines en deux : les vendredis, samedis, dimanches et lundis, il les passait à Stang Du. Les trois autres jours, il vivait en ville, dans son meublé que Marie-Thérèse n'aima pas. Elle étouffait dans le deux-pièces. La ferme était plus confortable et en outre Maurice y prenait de l'exercice. « J'ai deux terrains à m'occuper, plaisantait-il, ton petit jardin et le potager. » Marie-Thérèse lui proposa de s'installer à demeure. Il refusa, sous le prétexte de garder le contact avec ses amis turfistes. Marie-Thérèse cessa de fréquenter le Modern Dancing le mercredi : elle aurait eu l'impression de tromper son Momo.

La liaison dura deux ans, pendant lesquels Roparz, ayant eu son bac avec mention, brilla en hypokhâgne et khâgne. Normalien, il publia une plaquette de poèmes chez un éditeur régional. Sa mère n'exprima aucune fierté particulière. Elle ne recherchait pas plus qu'auparavant la présence de son fils, mais elle l'accueillait sans déplaisir. A l'évidence, les années noires semblaient bien loin. Roparz appréciait la présence de Momo : il notait les reparties du Parisien, en prévision de son accession au rang de personnage d'un de ses futurs romans. En outre l'homme était affable, amusant et original. Il promenait Marie-Thérèse, à ses frais – ses frais à elle. Ils partaient en week-end dans la Pallas, mangeaient au restaurant et couchaient à l'hôtel. Ils visitèrent Saint-Malo, La Baule, Quiberon, la pointe du Raz, Le Puy-du-Fou. Marie-Thérèse se serait bien remariée. Momo n'y tenait pas.

Le nouveau malheur arriva aussi soudainement que le premier orgasme de Marie-Thérèse. Un vendredi, elle attendit en vain que Momo s'installe à table et découpe le poulet rôti. Il n'avait pas le téléphone, elle prit patience. Panne de voiture (vieille voiture qui rendrait l'âme un jour) ? Petite grippe ? Mauvaise grippe ? Malaise ? Au fur et à mesure que le soleil déclinait et que les ombres recouvraient le Yeun de leurs taches visqueuses, l'inquiétude de Marie-Thérèse augmentait. Elle se coucha néanmoins, en ressassant un fier entêtement qui pinçait ses lèvres : non, elle ne ferait pas le premier pas, non, elle ne descendrait pas en ville, non, elle ne se conduirait pas comme une bécasse folle amoureuse de son bien-aimé ! Elle s'endormit en comptant ses « Que non ! » prononcés mentalement sur le même rythme que les battements de son cœur.

Le samedi midi, elle réchauffa un blanc de poulet et quelques pommes de terre à l'eau dans une poêle à frire. Elle mangea sans appétit. Pourquoi ce bougre de Momo n'avait-il pas le téléphone ? Elle l'avait, elle. Alors, pourquoi n'appelait-il pas ? Les cabines publiques, on ne les installait pas pour les chiens ! En sirotant son verre de café, elle ne cessa d'osciller entre la résolution de ne pas s'abaisser – prendre sa voiture et aller voir – et le désir de venir à bout de cette angoisse qui lui rongeait les sangs et finit par imposer à son esprit des scènes insoutenables : accident de voiture, infarctus, congestion cérébrale. L'éventualité d'une rupture dont Momo aurait pris l'initiative demeura souterraine. Lundi dernier, lors de son départ, le bonhomme s'était montré aussi enjoué que d'ordinaire. Comment imaginer qu'il ait voulu la plaquer, alors qu'ils se préparaient à fêter le second anniversaire de leur rencontre ? Non, cette idée-là n'était pas raisonnable. En revanche, la vision de Maurice gisant sur un lit d'hôpital eut raison de son indécision et de sa fierté. Et quand bien même le trouverait-elle au café en train de jouer à la belote et quand bien même se moquerait-il de sa mine catastrophée – « Hé ben, ma poule ? On n'est pas mariés ! J'ai pas le droit à un peu de vacances ? Qu'est-ce que t'en fais des congés payés du limeur de fond ? » – le soulagement serait plus fort que la honte de s'être comportée comme une midinette. Elle sourit. Le moteur de la Renault 6 ronronnait, le chauffage lui réchauffait les pieds, le ciel d'automne était limpide, les châtaigniers étaient nus, il avait plu pendant la nuit, et un léger vent du nord rinçait les dernières feuilles des chênes d'une eau qui brillait au soleil. Les malheurs n'arrivent pas par beau temps, se dit Marie-Thérèse.

Elle se gara sur la place d'où partait la rue en pente. Petite souris, elle courut sur les vieux pavés, en rasant les murs décrépis et les vitrines de commerces condamnés à vivoter : un coiffeur pour hommes, une boutique de nouveautés, une crêperie, un café. Le cœur battant, elle jeta un coup d'œil à l'intérieur du bistrot : pas de Momo. Elle s'enfonça dans le couloir et gravit l'escalier. Le palier était éclairé par la lumière du jour. Elle eut un pressentiment, confirmé par la porte ouverte du deux-pièces de Maurice. La fenêtre était orange, à cause du soleil couchant. Une dame d'un certain âge fouinait à l'intérieur. Cherchait quoi ? Marie-Thérèse n'eut pas besoin d'y regarder à deux fois : le dessus de la commode, le meuble de toilette, l'évier, tout était vide. Tout avait disparu. Il ne restait que les meubles. Les meubles du meublé. La dame, boudinée dans un manteau en faux astrakan, passa l'index sur le rebord de la fenêtre et fit la moue. Elle prit conscience de la présence de Marie-Thérèse sur le seuil de la porte et haussa les sourcils.

« Maurice n'est pas là ?

— Ah ! C'est vous, la sœur ?

— La sœur ?

— La sœur dont il parlait tout le temps. Celle qui paierait les arriérés de loyer, qu'il disait !

— Non, je ne suis pas sa sœur.

— Qui êtes-vous, alors ?

— Une amie.

— Des amies, je crois bien qu'il en avait plus qu'il ne pouvait fournir, bien qu'il soit resté vert, ça on doit le reconnaître.

— Vous savez où il est ?

— Plus ou moins. Vous n'êtes pas au courant ? Dites donc, ça a l'air de vous faire un choc, qu'il soit pas là, l'animal ! Asseyez-vous.

— Il lui est arrivé quelque chose ? dit Marie-Thérèse en pinçant les lèvres.

— Embarqué par les gendarmes.

— Les gendarmes ?

— Ça vous étonne ? Pas moi. Il avait un drôle de genre, le Momo, tout de même.

— Mais qu'est-ce qu'il avait fait ?

— Ça ! allez savoir ! Il était interdit de séjour, je crois. Enfin, c'est ce qu'on raconte. »

Interdit de séjour, Marie-Thérèse ignorait ce que cela voulait dire exactement. Tandis qu'elle redescendait l'escalier comme une somnambule, les trois mots évoquèrent dans sa mémoire un film en noir et blanc vu à la télévision où il était question d'un criminel en fuite, pas vraiment un criminel d'ailleurs, quelqu'un qui avait tué par amour, qui vivait une autre histoire d'amour quelque part en Afrique, caché au milieu de villas blanches, aimé d'un tas de femmes aux lèvres sombres, peintes en forme de cœur.

« Attendez, ma p'tite dame ! » cria la logeuse penchée sur la rampe du palier. « Alors, vous ne la connaissez pas, la sœur ?

— Non, non », bredouilla Marie-Thérèse.

A mi-chemin de Stang Du, la nuit tomba.

La ferme faisait grise mine. Cette maison avait un visage. Depuis deux ans, cette bouche et ces yeux souriaient, mais ce sourire s'était envolé, le temps de cet aller-retour à la ville. Stang Du avait retrouvé ses traits d'antan, du temps des vieux parents, du temps de la folie de Fanch et de sa fin au bout d'une corde. La maison avait bien ri, après, tout le temps que Maurice l'avait fréquentée. Fini. Marie-Thérèse but un grog bien tassé et se mit au lit.

Pendant plusieurs jours elle se rongea les sangs dans l'attente de la visite des gendarmes. Mais elle était une chose si négligeable que les gendarmes ne se préoccupèrent pas d'elle. Elle songea à les appeler, ne serait-ce que pour savoir pourquoi ils avaient arrêté Momo. Elle chercha le numéro de la gendarmerie en ville, à maintes reprises décrocha le téléphone, le laissa retomber sur sa fourche. Un vieux fond de prudence paysanne et de peur de la vérité la retint de se manifester. Elle espéra trouver la réponse dans le journal qu'elle alla acheter tous les jours au bourg. Rien, elle ne lut rien à propos de Maurice. C'était à croire qu'il n'avait jamais existé. Avait-elle rêvé ces deux années ? Elle cessa presque de s'alimenter et, dans son lit d'où elle ne bougeait plus guère, se mit à ressasser ses souvenirs, sa belle histoire d'amours mortes. Mourir, oui, elle allait mourir. Crever comme les truies, dans le temps. La maison se transformait en porcherie. Les murs suintaient et se refermaient lentement sur elle comme une coquille. Coquille pourrie : la poubelle, qui n'avait pas été vidée sur le tas de fumier depuis trois semaines, empestait. Les mulots et les rats devenaient plus téméraires. L'odeur de foin chauffé de leurs déjections régnait partout. Ils visitaient les armoires ouvertes, grignotaient le linge et réduisaient en poudre les vieux papiers, en attendant de se délecter du cadavre de Marie-Thérèse.

Roparz priva les rongeurs de ce festin. Un samedi après-midi, il découvrit l'état des lieux et de sa mère. Ni le médecin qu'il appela ni lui-même ne purent arracher un mot à la moribonde. Marie-Thérèse fut hospitalisée dans un établissement psychiatrique et soignée avec succès. Non qu'elle eût retrouvé la parole, mais au moins, grâce aux médicaments, son comportement redevint celui d'un être vivant, bien que résolument solitaire : se laver, se vêtir, se nourrir, regarder la télévision, c'étaient là les gestes qu'elle accomplissait comme un morne devoir, les yeux et les traits vides d'expression, sauf cette espèce d'air buté qui ne l'avait jamais quittée depuis son enfance.

Un soir d'automne, poussée par sa mémoire, elle reprit le chemin du Modern Dancing. Mais elle n'avait plus rien pour séduire les hommes de son âge, les danseurs à la mise impeccable, aussi arrogants et inabordables que des ministres, qui la regardaient de haut, avec un rien de pitié, la folle assise sur sa chaise, immobile, sans apprêt, sans rouge ni poudre pour adoucir ses lèvres craquelées et sa peau sèche, statufiée, casquée de cheveux gris et raides, en chaussures crottées et bas épais de tous les jours, vêtue d'une robe fripée et d'un manteau lustré. Elle s'asseyait à l'heure de la première danse et ne se levait qu'après la dernière.

La suite, Roparz l'apprit par la rumeur, un week-end, dans un rade situé au bord du canal, au carrefour de deux routes départementales, le genre de bar où les jeunes s'enivrent à moindres frais avant d'aller en boîte.

A la sortie du Modern Dancing, une nuit, des romanichels entreprirent la pauvre Marie-Thérèse à qui personne, hormis son fils et le médecin, n'avait adressé une parole amène depuis des semaines. Le plus décidé l'allongea sur la banquette arrière d'une grosse voiture américaine (qui lui rappela la DS de Momo ?), et les quatre autres se succédèrent entre ses jambes en s'encourageant mutuellement. Les romanos ne se vantèrent pas de leur exploit, mais la scène eut des témoins, l'histoire fit le tour du patelin et de jeunes bougres, un autre soir, tentèrent leur chance. « Tu baises, Marie-Thérèse ? lança l'un.

— Oui, dit-elle, l'air têtu, le front baissé.

— Bon, ben…, grogna la jeune brute, interloquée. Où ça ? Où on va baiser ? »

Marie-Thérèse ne répondait pas.

« A l'arrière d'une bagnole, qu'ils lui ont fait son affaire, les Gitans », précisa un comparse.

Par mauvais temps sur la banquette d'une voiture, aux beaux jours dans les prés voisins : « Baiser la vieille » devint un jeu. Qui n'avait pas baisé la vieille devait se considérer comme puceau. Et d'ailleurs, à son insu, Marie-Thérèse déniaisa plus d'un maladroit. Le propriétaire du Modern Dancing n'hésita qu'un moment à intervenir. Marie-Thérèse ne faisait de mal à personne, et c'était bon pour le chiffre d'affaires : une attraction.

« Si t'es intéressé, conclut le jeune type qui racontait la générosité sexuelle de Marie-Thérèse à Roparz dans ce café du carrefour, c'est pas compliqué : le dimanche soir, t'es sûr de lui planter ton dard. Pas besoin de lui filer rencard, toujours prête, la vieille. Le seul problème, c'est la concurrence, bien que ça commence à se tasser. Y a les habitués, les accros, ceux qui préfèrent se la taper plutôt que la veuve poignet. Mais la plupart tirent un coup, histoire de dire qu'ils y sont allés, et pis ça va, ça leur suffit. Comme à moi. Je me la suis tapée une fois. T'as l'impression de baiser une poupée gonflable. Gonflée aux gravillons. Y a de l'os partout, sauf là où tu la lui mets. Seulement, le truc, c'est qu'il faudrait des cales. Elle est tellement élargie que tu sais même pas si t'es dedans ou dehors. A moins d'être monté comme un bourricot de Port-Saïd, peut-être. Enfin, c'est un cas, cette vieille-là. »

C'était tellement dégueulasse que j'avais du brouillard dans la tête. Je cherchais des mots à dire, et ces mots que j'aurais voulu dire se faufilaient à travers des images, comme des anguilles qui passent à travers les mailles de la nasse. Je voyais la salle de bal, et moi sur l'estrade, et la porte des toilettes, et les jeunes types qui rigolaient, et la Piquée, Marie-Thérèse, qui sortait, regagnait sa chaise, s'asseyait, avec sur elle ces odeurs de transpiration et de sperme, cette femme, son passé, sa vie foutue dès sa naissance, et son fils, maintenant, qui avait mis ça sur le papier, avec les vrais noms, Roparz, allongé à côté de moi, crispé de tout son corps sur ces mots que je lisais, que j'avais lus. J'étais arrivée à la fin du manuscrit.

J'ai fini par dire : « Et c'est à ce moment-là que tu es revenu pour de bon ? »

Il a hoché la tête, a allumé une autre cigarette.

« N'imagine pas que je me suis sacrifié, que j'ai abandonné mes études pour soigner ma pauvre maman, tiré un trait sur mon avenir ou des conneries de ce genre. Non. En réalité, il y avait déjà un moment que j'étais comme elle : j'en avais marre de parler, j'en avais assez de jouer chez ma tante le rôle de l'étudiant qui promet. Prof, tu me vois ? Je voulais écrire. Quelle vanité ! Je suis devenu un voyeur. Je suis revenu pour observer ma mère. Chouette sujet, non ? »

J'ai douté, tout à coup. Je lui ai demandé si l'histoire de la corde était vraie ou inventée. Vraie. Il avait tué son père, et il a dit que ça n'avait rien d'original. Il était juste allé un peu plus loin que les mots, sans donner le coup de couteau. Il était resté à mi-chemin entre le mythe et la réalité.

« Vraie. Mais au lieu de me crever les yeux je les ai ouverts. En grand, jusqu'à ce qu'ils me mangent la figure et la cervelle. Vouloir regarder de trop près, ou à travers, ou au-delà, c'est pire qu'un coup de poinçon. Ça vous rend aveugle, de la même manière. Aveugle ou fou. Sais-tu ce que m'ont raconté les types, dans le café dont je t'ai parlé ? Ceux qui se vantaient de bourrer la vieille ? »

Oh, Roparz, le timbre de ma voix a changé, disais-tu, lorsque tu t'es mis à m'écouter, au Modern Dancing. Mais le tien ! Dans ta voix, dans cette confidence adressée aux poutres, à l'araignée au centre de sa toile, aux livres, au plancher, au rectangle noir de la lucarne et à mon reflet au coin de cet écran, quel dégoût, quelle tristesse, quel poison mélangé à ta salive, quel acide.

« La plupart de ces types qui défilaient à la queue leu leu sur elle étaient très jeunes. Impressionnés et impressionnables, intimidés par les copains le nez contre la vitre de la voiture, ils n'arrivaient pas... à se mettre en condition. Il fallait qu'elle les tripote. Alors, en leur prenant le truc dans la main, tout recroquevillé comme un sexe d'enfant, elle leur disait : "Quel âge tu as ?" Les types s'étaient passé le mot. Tous savaient qu'il fallait répondre vingt-cinq ans. Sinon, s'ils répondaient dix-neuf, ou vingt, ou vingt et un, elle les reboutonnait et s'excusait : "Pas toi, tu es trop jeune, j'ai un fils de ton âge." Ma mère, cette potiche muette, éprouvait des sentiments. Ma mère m'aimait, Evelyne. »

Ensuite il m'a dit : « Ecoute, maintenant c'est le littérateur en herbe qui parle, et ce que raconte ce gars-là est suspect. L'écrivain est un travesti. Un masque. Et masque vint de *masca*, sorcière, en latin. »

A aucun moment je ne l'ai suspecté de mentir quand il m'a dit qu'à distance il avait été envoûté par le Yeun. Il enjolivait, ou noircissait, ce qui pour lui était la même chose, voilà tout. Quand on a de telles racines, si fortes, si tordues, si expressives dans leurs volutes tourmentées qui dessinent des visages de damnés, comment rester sourd à leurs lamentations ? Coupées, a-t-il dit, ces racines suintent des humeurs vénéneuses et sanglotent. Au sein du marais, enfoncées jusqu'à la taille dans la tourbe, mélange de poussier et d'eau corrosive, des sirènes se plaignaient, le suppliaient de revenir, en agitant sans cesse leurs cheveux fourchus, des aiguilles d'ifs qui empoisonnent le sang de celui qui les respire.

« Je leur ai obéi. J'ai décidé de vivre ici. Vivre à deux sur la pension de ma mère, et tenter d'écrire.

— Tu finiras ton roman ?

— J'écrirai la fin telle qu'elle se produira. On l'écrira ensemble, avec ma mère. Il faut accompagner l'héroïne jusqu'au bout, n'est-ce pas ? Assassinat sur le parking du Modern Dancing ? Suicide ? Maladie, longue maladie ? Ça te plairait de venir habiter ici ? On travaillerait.

— Je ne sais pas écrire.

— Je parle de chanter. Tu chanteras mes chansons. »

J'ai dit oui, sans réfléchir. Ça paraissait tellement évident, à présent qu'on avait parlé, qu'on vive ensemble.

« Au début, j'ai essayé d'empêcher ma mère de sortir. Et puis je me suis rendu compte que c'était pire que... qu'elle aille se... J'ai admis. Nous en sommes là : je la conduis, j'attends, je reviens la chercher. Et je note. J'en ai de pleins carnets. De notes et de chansons. Tu veux en lire quelques-unes ? »

J'ai lu une demi-douzaine de textes. *L'allumeuse d'étoiles* m'a accrochée. Mais je lui ai dit : « Ça ne te ressemble pas, ce monde urbain.

— Telle mère, tel fils. Ma façon à moi de faire la pute. Il faut écrire ce qui se vend.

— Ça ne te ressemble pas, non plus, de dire ça.

— Toi aussi, tu avances masquée. »

Le jour se levait. Une clarté lugubre, qu'on ne pourrait pas vraiment appeler « jour », se préparait à sourdre de la compresse des nuages. Le noir de la nuit pendant quelques heures se diluerait dans un peu de crachin, et puis le brouet s'épaissirait, et ce serait de nouveau l'obscurité. On devrait prier pour que le soleil ne se lève pas : la grisaille recèle un soupçon d'éternité.

« Et toi, d'où viens-tu ? »

Mes racines, je lui ai dit, on en a vite fait le tour. Dans mon petit morceau de plaine, point de sureaux en forme de parapluies, ni de têtards de chênes aux vingt bras dressés, ni de sirènes dans les marais, mais des lignes haute tension, des boulevards de voies ferrées sous des tunnels de potences, et des cafés tristes où les gens ont la bière mauvaise.

Il a dit : « On a le noir en commun. Tu es née dans le charbon, je suis né dans la tourbière. Nous avons le même berceau : une chose millénaire, sombre et qui brûle. As-tu remarqué que tout ce qui se consume est noir ? Le pétrole, la houille, la tourbe. Et la cendre est grise, comme aujourd'hui le ciel, les arbres, les maisons et les chiens errants. »

Je me suis pelotonnée contre lui. Son sexe était doux et menu comme celui d'un enfant.

« Ne me touche pas », a-t-il dit.

Je me suis crispée.

« Pas encore. Pas tout de suite. Attendons. Nous avons tout le temps de faire l'amour. »

Moi, j'étais prête, mais lui pas. Alors nous sommes restés allongés côte à côte. Des corneilles tourbillonnaient lentement au-dessus de la lucarne, silencieuses. Il a posé sa main au bas de mon ventre, et puis c'est venu tout doucement, son sexe a été celui d'un homme, j'ai ouvert mes bras et mes jambes et nous avons été amants.

Après, mes oreilles bourdonnaient, sifflaient plutôt tandis que ma ligne de vie défilait, horizontale au milieu du cadran de la lucarne. Sur ce fil, j'ai vu un acrobate. C'était l'Amour, avec un grand A. En guise de balancier, il tenait notre existence commune, et à chaque bout de la perche il y avait un garçon et une fille, attentifs à ne pas fausser l'équilibre, ni trop ni trop peu d'amour d'un côté ou de l'autre. Egalité.

J'ai déménagé et on a organisé notre vie à trois. Question argent, on faisait caisse commune. Grâce à ce que je gagnais, la vie était plus facile. Roparz s'est acheté un traitement de texte. On se payait la pizzeria ou la crêperie une fois par semaine. On a nettoyé la maison, coupé les ronces, arraché les mauvaises herbes. Marie-Thérèse appréciait ma présence, mais on aurait dit qu'en renaissant la maison se nourrissait de sa sève à elle. A mesure que la maison s'enjolivait, se réchauffait et ronronnait comme un gros chat, Marie-Thérèse flétrissait, doucement, naturellement, comme une pomme dont la peau se ratatine et s'apprête à se déchirer pour libérer les graines qui ont gonflé à l'intérieur en pompant sa substance. Son cerveau tournait de plus en plus au ralenti. Il lui arrivait souvent de me fixer en fronçant les sourcils. Je supposais qu'elle cherchait le lien entre Eva, la chanteuse brune du Modern Dancing, et Evelyne, la blonde en jean et bottes de caoutchouc qui lui préparait ses repas et lavait son linge. Un beau soir, très peu de temps après mon installation à Stang Du, alors que Roparz devait me conduire au travail et elle à ses rencontres, elle a dit : « Non ! — Non quoi ? » a dit Roparz. Elle a secoué la tête et n'a pas bougé de devant la télé. « Tu ne veux plus sortir ? » lui a demandé Roparz. Non, elle ne voulait plus sortir. Ça a été un grand soulagement pour nous. Roparz a dit que dans sa tête je m'étais substituée à elle. J'étais son double, jeune. Longtemps elle avait couru à la recherche de son fils perdu, l'avait trouvé en se donnant aux jeunes gars, l'avait perdu de nouveau, et ainsi de suite. Et tout à coup, une espèce de lumière s'était faite dans son cerveau : elle s'était identifiée à moi, la jeune femme qui vivait avec son fils et qui l'accompagnait au Modern Dancing. A travers moi, elle avait épousé Roparz. Elle pouvait s'éteindre tranquillement, apaisée. « Usée, a dit le médecin. Tout fonctionne, mais à petit régime. » Elle a cessé de se lever. On a installé le téléviseur dans sa chambre. Elle ne se nourrissait plus que de pain-beurre trempé dans du café au lait. Comme ses cheveux poussaient, je lui faisais des tresses. Avec ses nattes poivre et sel, sa peau transparente et les veines bleues en dessous et ses chemises de coton épais, dans la pénombre de la chambre, adossée à ses oreillers, elle avait l'air d'une vieille Indienne, et bientôt d'une momie aux pommettes saillantes. Elle est morte une nuit, veillée par son poste de télévision. J'ai pensé à mes parents. Peut-être étaient-ils morts, eux aussi ?

Outre les formalités administratives auxquelles nous n'étions pas préparés, l'organisation des obsèques et la liquidation de la succession nous ont mis en face d'une réalité : nous avions vécu à côté de la société, or cette société-là s'agrippait à nous et ne desserrerait jamais ses griffes. Si nous voulions continuer à vivre, il nous fallait signer, adhérer à l'idée commune : s'en sortir, aller de l'avant, crever l'enveloppe de notre bulle.

S'en sortir par l'écriture ? Roparz a terminé son manuscrit – il ne manquait que la fin de sa mère –, lui a donné le titre de *Marie-Thérèse du Yeun*, en a fait des photocopies, l'a expédié à différents éditeurs et a commencé de guetter le facteur. Il a reçu tous les types de réponses : refus stéréotypés ; refus gênés, plutôt positifs ; et enfin, d'un éditeur prestigieux, une proposition d'entretien qui s'appuyait sur une analyse précise de son texte. En vue de préparer cet entretien, qui était vivement souhaité, on le priait de réfléchir à ses personnages et de songer à s'en détacher quelque peu. N'aurait-il pas fallu qu'il gardât ses distances ? Par exemple, simple détail disait-on, mais très significatif, pourquoi avoir gardé son propre prénom ? Cette homonymie entre l'auteur et son personnage pouvait être cause d'inhibition. La preuve : le lecteur, continuait-on, se sentait frustré face au destin tronqué de Roparz. N'était-ce pas lui le véritable héros de l'histoire ? Que devenait-il ? Bien que le romancier soit le seul maître du destin de ses créatures, il y avait de la désinvolture, à l'égard du public, de laisser Roparz en chemin. Le travail à effectuer n'était pas très important, l'éditeur se déclarait « prêt à accompagner » Roparz en « l'aidant à abandonner au bord du fossé ce qui, sans doute, était un excès d'attachement à une réalité vécue – se détacher de soi pour atteindre la création véritable ». Cette amicale collaboration, on n'en doutait pas, mènerait à la publication.

« Qu'est-ce qu'ils croient ? Que j'ai raconté ma vie, comme un pauvre con ? Se détacher de soi, qu'est-ce que ça veut dire ? Comme si on pouvait s'abstraire de soi-même !

— Ils veulent peut-être dire ajouter des scènes, imaginer, renforcer l'histoire.

— L'histoire, ce n'est qu'un portemanteau. Moi, ma veste, je l'accroche au dos de ma chaise.

— Mener les personnages jusqu'au bout.

— Ils sont crevés, on ne peut pas faire mieux.

— Sauf un. Toi.

— Justement, je m'efface.

— C'est un roman. Appelle ton personnage Yannick, Erwann, Pierre ou Paul, que sais-je. Inventelui une fin. N'importe laquelle. Juste parce qu'il faut conclure. »

Il n'a pas voulu. Son livre, c'était à prendre ou à laisser. Ils ont laissé et il a laissé passer sa chance. On ne s'en sortirait pas comme ça.

Alors, s'en sortir par l'héritage ? Devenir commerçants ? Liquider la ferme et les terres, ajouter le produit de la vente à l'argent qui restait à la Caisse d'épargne et acheter un bar-tabac ?

« Tu nous vois, servir à boire et tenir le crachoir à tous ces débiles légers ? Résultats sportifs le dimanche soir ? Faudrait qu'on se cultive sur les terrains de football.

— Il y a des bistrots sympas.

— Et tu chanterais, hein ?

— Pourquoi pas ?

— Tu chanteras, mais des balcons du ciel, Evelyne. »

Voilà, ça c'était son idée à lui, un truc dont on avait vaguement rêvé jusqu'à présent. Eva et Roparz, l'interprète et l'auteur. On se roderait dans les patelins du coin, puis en été on ferait la côte bretonne, de Saint-Malo à La Baule. Et on bombarderait les maisons de production de cassettes.

« Et ne t'inquiète pas, j'écrirai des textes vendeurs.

— Je préférerais que tu restes toi-même.

— Avoue que c'est paradoxal. J'écris un livre, on estime que je reste trop près de ma petite personne, je te dis je vais écrire des chansons à se faire du blé et tu me réponds de rester moi-même.

— Oui. Tu aurais pu retravailler ton livre sans te trahir. Ils ne t'ont pas parlé de le rendre vendeur.

— D'accord. Alors, disons que je me contenterai d'adapter les mots de mes chansons à la loi du marché et qu'on ne vendra qu'un article : ta voix, toutes tes voix et rien que ta voix. »

Voix, voie… J'ai pensé : vers où qu'on se dirige, on est mal barrés. Ça a l'air plein d'amertume, mais je n'étais pas amère. Je gardais espoir. A en juger par ma propre expérience, je savais bien qu'un jour Roparz changerait. Moins réfractaire, il prendrait un peu de recul et se rendrait compte qu'avant de connaître le succès il faut faire ses gammes, que cette lettre du grand éditeur était du pain bénit, que beaucoup auraient voulu en recevoir autant et qu'il avait eu tort de ne pas donner suite. Moi, j'étais bien passée de l'état de fugueuse, zonarde demi-pute, à celle d'un gentil rossignol, chantant à ses heures, ménagère aux autres. On avait une maison à nous et pas de loyer à payer. Ce qu'on raconte était vrai : les filles ont la tête plus près du bonnet que les garçons. Parfois je pensais aux gosses qu'on pourrait avoir, c'est dire.

On s'est mis à répéter sérieusement. Marcel, mon patron, n'a pas vu d'inconvénient à ce qu'on utilise la sono après les soirées. Roparz bricolait des accompagnements sur le synthétiseur et moi, je chantais son faux mal de vivre des banlieues. Qui aurait été intéressé par ses *Lamentations du Yeun*, qu'il lui restait à mettre en musique ? Pourtant... Oh, on y arriverait, au véritable Roparz. Chaque chose en son temps, n'est-ce pas ?

On était prêts à enregistrer une version convenable, qu'on ferait circuler, de *L'allumeuse d'étoiles*, lorsqu'une nuit, vers deux heures du matin, notre mécène a débarqué au Modern Dancing en pantalon et veste de treillis. Il traquait le sanglier dans les Montagnes noires en compagnie de trois huiles locales qui l'avaient invité, et eux-mêmes étaient des copains de Marcel qui fournissait la meute de chiens courants. Ces messieurs, pour terminer une soirée bien arrosée, et s'ennuyant dans leur pavillon de chasse, étaient venus s'encanailler au bastringue de cambrousse, zieuter la veuve joyeuse et le bellâtre retraité. Une idée toute bête ne leur avait pas traversé l'esprit : les vieux se couchent tôt, à une heure c'est l'extinction des feux et à deux heures on est couché. Quand ils se sont assis au fond de la salle, dehors les cars et les voitures démarraient, leurs feux se croisant et se décroisant dans le brouillard givrant de novembre. A Marcel flatté de leur visite, ils ont commandé du champagne, et le meilleur ! Ces gens-là ont le vocabulaire de leur physique.

« On attend qu'ils se tirent, les gros cons ?

— Ces mecs-là sont sourds, j'ai dit en haussant les épaules.

— On avait prévu d'enregistrer.

— Ils applaudiront, ça nous fera un son d'ambiance. »

On a éteint les lumières, sauf les spots de l'estrade, et les types ont disparu dans le noir. Notre son d'ambiance, on l'a eu tout de suite : on a ouvert le micro du magnétophone sur des cris de protestation et le coup de feu d'un bouchon de champagne qui saute et des tintements de verre. Pas mal pour lancer :

J'arrose ton cannabis
Marie-Jeanne du pénis...

L'un d'eux a sifflé, sifflé de plus belle du fond de la salle après :

Quand j'l'allume ton étoile
Couchée sur toi dans les toiles.

Je n'irai pas jusqu'à affirmer qu'ensuite ils sont tombés en extase. Non. Ils se sont tus. Ecoutaient, je le sentais bien qu'ils écoutaient. Séduits. Troublés. Envoûtés ? Par les paroles de la chanson, par ma voix ou par mes hanches qui balançaient ma mini d'avant en arrière ? Par la balle dans la tête dose létale ? Par la condamnation à mort de Je t'expédie au ciel allumer mes étoiles qui les a fait penser aux animaux qu'ils achevaient ?

Ils ont applaudi.

« Tes premiers applaudissements, j'ai dit à Roparz.

— Rien à cirer.

— Lumière ! » ont-ils gueulé.

Roparz a coupé le magnétophone. J'ai rallumé. A grands renforts de « Ho ! Ho ! la jeunesse ! » et de coupes de champagne levées, les quatre types nous faisaient signe d'approcher.

« Vont te proposer la botte, a dit Roparz entre ses dents.

— Mais non. Ils veulent nous offrir un verre. Allons-y. On va leur demander ce qu'ils en pensent, de notre prestation.

— Rien à branler.

— Histoire de se marrer », j'ai dit, et ça l'a décidé.

Un peu gauche de marcher en se sentant observé, il m'a emboîté le pas. Moi, j'avais l'habitude de la scène et ça ne me faisait plus ni chaud ni froid qu'on reluque mes jambes et le reste. Et je portais ma tenue de camouflage que j'enfilais dès que je sortais de Stang Du, perruque, lentilles et maquillage de geisha. Mais il m'est venu à l'idée qu'en civil, blonde et habillée en tous les jours, ça m'aurait gênée, moi aussi, qu'on me regarde mettre un pas devant l'autre. La tenue de scène, j'ai pensé, vous rend invulnérable. L'artiste n'est pas je, il y a bien quelqu'un à avoir dit ça, un jour. J'ignore si c'est parce qu'on avait enregistré et que je m'étais éclatée, mais en tout cas, à cette minute-là, j'ai eu l'impression que je bouillonnais d'intelligence et que j'étais capable de comprendre n'importe quoi, de voir au travers. Ça vous arrive une fois par an, ce genre de truc. Pourtant, en me dirigeant vers le fond de la salle, comment aurais-je pu deviner qu'on marchait vers un trou de souris dans le mur de l'avenir ? Et que de l'autre côté il ferait encore plus noir ?

J'avais pensé que ces types-là étaient des huiles, comme ça, simplement à cause de leurs uniformes de chasseurs, pulls anglais, gilets en velours, chapeaux à plume et bottes finition main, qui n'avaient rien en commun avec les vestes râpées et tachées de sang, les vieux chapeaux mous et les bottes de travail bien crottées des chasseurs de lapins du coin. Les visages, les mains manucurées, les coupes de cheveux, l'allure, cette sûreté de soi, mélange savant de condescendance retenue et d'attention faussement aimable, cocktail qu'on sert aux inférieurs, aux ouvriers syndiqués et aux fournisseurs ficelés par des contrats chiadés dans des cabinets d'avocats, bref tout chez eux désignait l'industriel et le gros revenu. Ils savaient à la perfection manifester de l'intérêt, vrai ou simulé, à l'égard de ce qui leur était étranger. Je me suis dit qu'ils voulaient passer un bon moment, hors de leurs normes, avec des marginaux du terroir, un sujet de conversation quand ils seraient de retour dans leurs salons. C'était peut-être le cas pour trois d'entre eux, mais pas pour le quatrième. Il a été le seul à se présenter.

« Je m'appelle Albert Mireuil. Vous accepterez bien de prendre une coupe en notre compagnie, n'est-ce pas ?

— Je préférerais une bière, a dit Roparz.

— Et vous ?

— Une coupe. »

L'un des trois est allé chercher le demi pression, un verre et une deuxième bouteille de champagne. Le dénommé Mireuil n'est pas entré tout de suite dans le vif du sujet. Encercler le gibier, d'abord, avant de le servir.

« Vous êtes en tournée en Bretagne ? »

Roparz et moi on s'est regardés.

« En tournée ? j'ai dit.

— Eh bien, oui. Vous chantez, n'est-ce pas ? Et notre chance a été de vous entendre. C'est ce que je disais à mes amis juste avant de vous inviter à notre table : il y a toujours quelque chose de positif. Partout et tout le temps. Le négatif : la journée s'est achevée sur une bredouille, les sangliers ont semé les chiens, et c'est tant mieux pour eux. Le positif : que nous ayons eu l'idée de pousser la porte de cette salle. Vous avez une voix extraordinaire. Cela ne vous dira sûrement rien, vous êtes trop jeune, mais votre timbre me rappelle la voix d'une Juliette Gréco, d'une Barbara, je ne sais pas, d'un Jacques Brel, ou plutôt de sa sœur, d'une très jolie petite sœur, avec par moments l'ingénuité d'une Marilyn Monroe et la force de conviction d'une chanteuse de gospels.

— Drôle de mixture », a ricané Roparz.

J'ai cru que le type se moquait de moi. A force de vivre comme des tortues sous la carapace de Stang

Du, on devenait susceptibles et méfiants. J'avais tort. Mireuil laissait ses pensées vagabonder, se fichant pas mal qu'elles soient idiotes. Il donnait libre cours à ses émotions. Sans complexe. Il avait réussi dans son domaine, un prince des affaires, probablement, alors, le reste... Le genre de type à émettre des idées nouvelles et à ordonner à ses sous-fifres, plus instruits que lui, de les formuler correctement.

« Oui, votre voix est celle d'une Noire. Votre voix est brune comme vos cheveux. Toutes les nuances du brun. Etonnant : vous avez la peau et le corps d'une blonde.

— Vous ne seriez pas un peu maquignon sur les bords ? a dit Roparz.

— Ne mordez pas, jeune homme, mes intentions sont pures, a ironisé Mireuil. Regardez, mes mains sont couvertes de tavelures, les taches d'encre de la vieillesse.

— La turpitude s'accroît avec l'âge.

— Je vous l'accorde. »

Il a durci le ton pour ajouter : « Si j'ai envie d'une fille, je l'achète. Un coup de fil suffit. Mais qui oserait parler de ça, ici ? Nous sommes entre gens de bonne compagnie. Cependant vous n'avez pas répondu à ma question : vous êtes en tournée ? »

Je lui ai expliqué l'essentiel. Tableau, romantique à souhait, du jeune couple s'éclatant au pays. Elle chanteuse de thés dansants et lui étudiant inspiré, poète maudit et romancier en gestation. Roparz fumait une cigarette en me regardant, l'air narquois. Je jouais le jeu, c'était tout. Sans avoir la moindre idée du pourquoi, je pressentais que Mireuil nous jaugeait et que ça ne nous coûterait rien d'attendre qu'il abatte ses cartes, le temps de siroter une coupe de champagne.

Mireuil a déboutonné son gilet, geste qui devait lui être familier, dans les conseils d'administration, avant d'assener de bonnes et définitives paroles.

« Donc, si j'ai bien compris, vous n'êtes pas sous contrat ? »

Sous contrat ? Notre mine a suffi, comme réponse.

« Qu'est-ce que vous voulez acheter ? a dit Roparz.

— Votre ami a du caractère. Je n'achète pas, je voudrais prendre une option. Une option sur votre talent à tous les deux. Il faut sortir de ce trou.

— Comment ? j'ai dit.

— Il faut venir à Paris.

— Faudrait me payer cher, a dit Roparz.

— Un instant, jeune homme, que je vous explique… Vous croyez au hasard ?

— Il n'y a pas de hasard, a ricané Roparz comme il aurait clamé un slogan.

— J'en suis également convaincu. Pas de hasard, une volonté. Et parfois deux volontés se rencontrent et de cette rencontre naissent des choses positives. J'ai voulu venir chasser dans le coin, j'ai voulu venir prendre un verre dans ce bastringue, vous avez voulu écrire ce texte, vous avez voulu le mettre en musique, mademoiselle a voulu le chanter et a voulu que nous l'écoutions. Où est la coïncidence ? Dans le fait que j'ai quelques billes dans une maison de production ?

— Nous y voilà », a dit Roparz.

Mireuil l'a ignoré.

« Même pas, puisque ça aussi, je l'ai voulu. »

La suite, il nous l'a dictée, d'un seul jet, comme il aurait dicté un compte rendu à sa secrétaire :

a) il était un actionnaire important d'une maison de production ;

b) cette boîte de production marchait bien : il nous a cité trois ou quatre noms de chanteurs ou de groupes maison bien classés au Top 50 ces derniers mois ;

c) elle marchait si bien qu'elle réalisait de gros profits ;

d) les gros profits amènent les gros impôts, et le seul moyen d'échapper à l'impôt est de réinvestir, de mettre ses billes sur de nouveaux artistes, de jouer une grosse plaque ou deux sur des numéros jamais sortis ;

e) voilà ma carte, donnez-moi votre numéro de téléphone et un repiquage de la cassette que vous venez d'enregistrer, et je vous appelle sans faute la semaine prochaine ;

f) maintenant, assez parlé affaires, terminons cette bouteille et parlons un peu de vous et de votre pays.

A contrecœur, Roparz est allé faire une copie de la cassette, on a bu une dernière coupe et les chasseurs ont levé le camp, et nous aussi, l'esprit un peu embrumé d'étranges regrets et de remords indicibles – qu'aucun de nous deux ne voulait exprimer. Qu'avions-nous à regretter ? N'avions-nous pas voulu, n'est-ce pas, monsieur Mireuil, marcher vers la notoriété ? Nous répétions, nous avions enregistré. A blanc ? Pour du beurre ? Ça compte pour du beurre, disent les gosses, et on était comme des gosses qui se sont défiés, en défiant les éléments, le sort, le monde, au bord d'une falaise : on saute, chiche ? Chiche ! a dit Mireuil. On a sauté. Mais l'eau était très loin, aux antipodes de notre chemin de douaniers, sur une autre planète, quelque part au-delà d'un trou noir. En fait, on ne l'a jamais atteinte. On est restés suspendus en l'air, entre deux mondes, et c'est pire que d'avoir le souffle coupé, de remonter à la surface et de se débattre dans les rouleaux. Même dans les déferlantes, on nage, au moins.

La semaine suivante, le téléphone n'a pas cessé de sonner. Mireuil, d'abord.

« Jacques Craube est enthousiasmé. Il va vous appeler. »

Il parlait de ce Jacques Craube comme si nous le connaissions, comme si nous devions le connaître. Craube, un vieil ami. Craube, une célébrité. C'était le producteur, et je ne l'ai plus appelé qu'ainsi, dans ma tête : le Producteur, Mister Prode, le Prode, qui se décline aussi au féminin : la prode, pour la production, une mystérieuse entité. La prode est le bon Dieu, la prode est polymorphe. Des bras, des jambes, des téléphones et des télécopieurs, des voix de jeunes filles aux accents chantants d'origine indéterminée, des soucis de financement et de promotion, des parts de marché tout partout, comme des poils de fourrure qui vous grattent la peau.

Mireuil, encore : « Jacques vous a appelé ? Non ? Ne vous inquiétez pas, il va le faire. »

Le lendemain : une voix de jeune fille qui cultivait un accent cosmopolite : « Je suis l'assistante de Jacques. Il aimerait savoir si vous êtes à Paris dans les prochains jours.

— A Paris ? j'ai dit. Euh, non.

— Ah ! Jacques m'a demandé de convenir d'un rendez-vous avec vous. Il est libre mardi prochain en fin d'après-midi. Egalement jeudi, fin de matinée. Je suppose qu'il vous invitera à déjeuner, ensuite. En fin de matinée, il invite toujours à déjeuner. Chez Lipp. Sa cantine (petit rire). Alors, jeudi, fin de matinée ?

— C'est que... nous n'avons rien d'autre de particulier à faire à Paris, la semaine prochaine.

— Vous ne pouvez pas provoquer l'occasion ? Prendre d'autres rendez-vous ? Non ? Ah ! C'est dommage. Quand pensez-vous venir ?

— Venir pour quoi faire ?

— Jacques aimerait beaucoup bavarder avec vous et votre ami, a dit l'assistante. Il adore l'enregistrement. Je crois que vous devriez venir. Vous ne perdrez pas votre temps.

— Nous allons réfléchir », j'ai dit, et j'ai raccroché.

« Bavarder avec lui, à Paris, a dit Roparz, ces mecs-là marchent à côté de leurs pompes.

— C'est un autre univers.

— Je préfère le mien.

— Si on veut s'en sortir…

— Il faut que ce soit plus clair que ça. Bavarder… On peut bavarder par téléphone. »

J'ai rappelé Mireuil.

« Oui, Jacques est un type très occupé. Vous ne pouvez pas venir, vraiment ? »

Il a bien fallu que je le lui dise, à Mireuil, qu'on n'avait pas de fric à foutre en l'air. L'héritage avait fondu, une fois payés les honoraires du notaire, les droits de succession et la caisse de retraite à laquelle il avait fallu restituer de l'argent, les pensions étant payées d'avance et Marie-Thérèse étant morte au début d'un trimestre. On avait de quoi tenir une année à Stang Du, en mangeant des pâtes. Mais combien de semaines, à Paris ?

— Votre cher patron vous accordera bien un jour ou deux de congé. Voyez ça de votre côté, et moi du mien je m'occupe du reste. »

On a retenu la date du jeudi, fin de matinée. Mireuil nous a adressé deux billets d'avion.

Le mardi et le mercredi, nouvelle série de coups de téléphone. Le rendez-vous n'était plus très sûr. Fallait qu'on se prépare à faire modifier les billets d'avion. Puis le rendez-vous a été confirmé, puis infirmé : ce serait le vendredi, fin de matinée. Roparz a voulu tout envoyer balader. Il s'est transformé en hérisson. Il m'a quand même laissé arranger les choses. Heureusement, il y avait des places dans le vol du vendredi. L'avion ! La première fois qu'on le prenait. A l'aéroport de Lorient, on a été obligés d'observer comment pratiquaient les hommes d'affaires : présenter le billet au guichet, passer de l'autre côté. On a tellement tardé qu'on a entendu notre nom résonner dans les haut-parleurs. Ahuris, on s'est rendus au guichet.

« Vous ne vous êtes pas fait enregistrer, nous a reproché l'hôtesse. Vous avez une pièce d'identité ? Excusez-moi, le plan Vigipirate, les attentats... »

Roparz avait sa carte d'étudiant. Moi, j'ai dû fouiller dans mon sac pour dénicher une carte d'identité qui datait de Mathusalem. De mes quinze ans. Minois de Lolita des banlieues, cheveux presque rasés. L'hôtesse est demeurée perplexe.

« Vous auriez intérêt à la faire refaire. Il n'y a plus beaucoup de ressemblance. »

Elle m'a dévisagée. J'étais Eva. Evelyne ne vivait qu'à Stang Du et n'était elle-même qu'au milieu du Yeun. « Tu n'en as pas marre de te déguiser pour sortir ? » m'avait dit Roparz à plusieurs reprises. Je haussais les épaules, incapable de m'expliquer. La peur des flics et des recherches dans l'intérêt des familles, ça n'avait plus aucun sens. C'était autre chose : Evelyne se sentait et se voulait vulnérable, pour mieux aimer Roparz, être à son diapason. Eva était ma carapace.

« Il n'y a vraiment plus aucune ressemblance, a dit l'hôtesse.

— On change... »

L'hôtesse a regardé la pendule et l'écran. Le mot boarding clignotait.

« Dépêchez-vous de franchir le contrôle de police. L'embarquement est presque terminé. Et gardez vos pièces d'identité à portée de la main. On va vous les redemander. »

On a eu l'impression que les flics de service au scanner à bagages à main se foutaient en douce de notre gueule. Ils ont à peine jeté un coup d'œil sur nos cartes. Sûr que c'était écrit sur notre front qu'on n'avait jamais pris l'avion... Deux brêles, deux ploucs. A la porte de la salle d'embarquement, un autre flic a vérifié que les noms sur nos cartes d'embarquement concordaient avec nos pièces d'identité. On a couru vers l'avion, on s'est assis sur les deux premiers sièges libres, d'où le steward nous a chassés parce qu'ils ne correspondaient pas à notre billet. On devait aller à l'avant, parmi le gratin, derrière un rideau. Passagers plein ciel, il a dit, mais ça ne nous disait rien.

« Quel univers à la con ! a dit Roparz. Ces gusses-là, ils savent même plus ce que c'est qu'un arbre, qu'un brin d'herbe. »

On avait un peu la frousse. On écoutait le bruit des moteurs. Par moments, on aurait dit qu'ils s'arrêtaient, mais les gens continuaient à lire et les hôtesses à servir des rafraîchissements, alors on a pris le même air indifférent, un peu supérieur, des abonnés.

« A choisir, vaut mieux crever dans un accident d'avion que d'un cancer, a dit Roparz, alors... »

Alors l'avion n'est pas tombé et on a débarqué à Orly-Ouest où j'ai dirigé les opérations de transfert. Bus, métro. Roparz bougonnait, et il s'est régalé quand à l'adresse indiquée, dans le XIVe arrondissement, on s'est cassé le nez sur une porte à digicode.

« Ils ont oublié de nous donner le code. Tu ferais confiance à ce genre d'enfoirés, toi ? »

La seule solution, c'était d'attendre que quelqu'un se pointe et compose le code, ou que quelqu'un sorte. L'heure du rendez-vous était passée de cinq minutes lorsqu'un type a débarqué d'un taxi, juste devant le porche. Mireuil.

« Qu'est-ce que vous fabriquez devant la porte ?
– Le digicode. »

Il s'est marré. Sacré Jacques, qui l'envoyait, justement, prendre livraison des deux ploucs. Mister Prode était retenu dans une réunion de préprode, et s'excusait. Mireuil allait nous cornaquer jusqu'à demain, samedi.

« Mais on repart ce soir, j'ai dit. Les billets d'avion...

— Donnez-les-moi, je m'en charge. Restez le week-end, tant que vous y êtes. Il y a un tas de choses à faire à Paris. OK ? Retour lundi ?

— D'accord, j'ai dit.

— Je vous amène à l'hôtel.

— Qui va payer ? a dit Roparz.

— Moi, mon cher écorché vif, a dit Mireuil, avec un fin sourire. N'en veuillez pas au monde entier. Le monde entier ne vous veut que du bien. »

Certainement, monsieur Albert Mireuil, que vous nous vouliez du bien. Dîner dans un restaurant très chic du boulevard Saint-Germain, whiskies dans un pub fréquenté par des artistes et des intellos du côté de Montparnasse, retour à l'hôtel, bonne nuit, bonne nuit.

Le samedi matin, on a enfin rencontré l'homme invisible, après avoir composé le code, que nous avait confié Mireuil. Le code donnait accès aux bureaux de Mister Prode. Le personnage était vêtu d'un jean et d'un polo, avait le cheveu peigné en arrière, les joues lisses et le ventre plat. Ses épaules étaient tirées en arrière à force de souquer sur des avirons de salon. Il nous a priés de l'excuser de nous recevoir en négligé : il partait taper quelques balles. Est-ce que nous jouions au golf ? Non ? Nous y viendrions, dit-il. Il a regardé sa montre en faisant mine de se frotter le dos de la main.

« Bien que nous soyons samedi, j'ai tenu à vous recevoir afin de dégrossir notre sujet. Conversation informelle. Notez bien, ce sont souvent les plus fructueuses... »

Autant Mireuil était affable – même s'il s'agissait d'une affabilité de convention, cette bienveillance des grands à l'égard des petits –, autant Mister Prode ne cachait pas qu'il était pressé, qu'il nous recevait entre deux portes et que pour l'instant – tant qu'il n'aurait pas pris « tous les contacts nécessaires » – nous n'existions guère plus à ses yeux que des vermisseaux. J'étais la voix sur une cassette, mais rien ne garantissait que cette voix allait subir avec succès l'épreuve des sonos perfectionnées qui enregistrent le moindre confetti que véhicule sur la moquette une fourmi en chaussons.

« Méfiez-vous des courants d'air parisiens. Manquerait plus que vous attrapiez une angine d'ici la fin de la semaine.

— La fin de la semaine ? j'ai dit. Quelle semaine ?

— Eh bien, la semaine prochaine.

— Mais on part lundi ! On devait déjà repartir ce soir.

— Alors là, ma petite Eva, il faut que votre ami et vous soyez bien conscients d'une chose : une affaire comme celle-ci ne se monte pas en huit jours. Je vais avoir besoin de vous. De vous avoir sous la main. Il est impératif que vous restiez à Paris quelque temps.

— Mireuil nous a dit que...

— Mireuil est un doux rêveur. Il a du fric, il croit que tout se règle avec du fric. Bien sûr, ici aussi il est question de fric. Mais pas seulement. Il faut tester votre voix, la mettre en valeur, composer un accompagnement. Et le compositeur à qui je songe n'est pas libre avant quinze jours – il termine un film. Une chanson, c'est comme une composition florale. La comparaison n'est pas de moi, mais de Claudia, ma femme. La voix, une orchidée. Les violons, la fougère, les marguerites, les reines-des-prés et je ne sais quoi. Claudia donne dans la botanique… Vaut mieux ça que les galeries d'art moderne. Coûte moins cher. Allons, n'allez pas me dire que ça vous déplaît, Paris ! C'est l'occasion de prendre du bon temps ! A votre âge ! »

Le dimanche, Roparz et moi on l'a passé dans des bistrots. A s'engueuler. Il voulait mettre les bouts, disait qu'on allait se faire baiser, qu'on jouait le rôle des ringards qui se prosternent aux pieds du showbiz, qu'on n'avait pas besoin de ça, qu'on avait notre fierté, qu'on pouvait vivre sans tous ces cons, que la gloire n'était qu'illusion et, pour finir, que mieux valait se flinguer tout de suite plutôt que de se laisser promener dans les paradis artificiels par des escrocs travestis en gentlemen des boulevards.

« Même pas des gentlemen farmers », il a conclu.

Moi, je lui ai dit qu'il était excessif et que c'était ce qui faisait son charme. Je n'ai pas dit : « Et c'est pour ça que je t'aime », parce que entre nous il n'avait jamais été question de ça, je t'aime, tu m'aimes, mais je l'aimais et je crois bien qu'il m'aimait, oui, j'en suis sûre, sinon il n'aurait pas accepté. Accepté qu'on reste à Paris. Je lui ai dit qu'est-ce que c'est un mois, deux mois, sur toute une vie ? On prend un ticket, on dépense le fric, bien sûr c'est le tien, à toi de décider, mais ce n'est pas un ticket de loterie, parce que le résultat dépend en partie de nous. Il dépend aussi, je te l'accorde, des gens qui organisent les paris, mais on a notre mot à dire, tes textes et ma voix à faire valoir. Il faut s'adapter à ces gens-là. Moi, fille des rues de banlieue, je me suis adaptée au Yeun. Accepte de passer un mois ou deux en enfer.

« Bon, peut-être…

— Qu'est-ce qu'on risque ? On n'aura plus de fric ? On a une maison. On gagnera toujours de quoi bouffer.

— Ça va, tu as raison. »

A quoi bon raconter ces six mois dans le détail ? Viendrait-il à l'idée de quelqu'un de narrer le temps perdu dans une salle d'attente ? Vous devez prendre le train – un train formé pour vous seul –, on vous promet que ce train va arriver d'un instant à l'autre, mais il est sans cesse retardé, et il n'y a personne d'autre que vous dans la salle. Que faites-vous ? Vous lisez, vous fumez, vous vous dégourdissez les jambes, vous dormez, vous buvez et vous mangez. Pendant ce temps-là, des ombres passent à l'extérieur, devant les vitres, et à intervalles réguliers l'une d'elles frappe au carreau comme pour vous dire : « Patience, votre train arrive bientôt. »

Les ombres, c'étaient Mister Prode et consorts. Mireuil ne donnait plus de ses nouvelles. Le producteur téléphonait à notre hôtel, laissait des messages, et nous le rappelions de notre salle d'attente. Je crois bien que la locomotive restait à fabriquer, et ne parlons pas des rails.

Dès le lundi on a changé d'hôtel. Celui que nous avait choisi Mireuil, où il nous avait payé trois nuits, aurait épongé nos économies en quinze jours. Nous en avons trouvé un dans nos prix, rue des Archives, côté Bazar de l'Hôtel de Ville, à deux pas de la Seine. En plaisantant, on a observé que la chance nous avait guidés vers des éléments nécessaires à notre survie. Des éléments de notre décor intérieur : le fleuve (l'eau), les oiseaux (ceux du quai de la Mégisserie, parmi lesquels de bonnes poules bien de chez nous, en cage, bien sûr, mais volatiles quand même) et les livres (les bouquinistes). Et la rue des Archives, si longue et si étroite, était encaissée comme un chemin creux taillant son fossé au milieu du Yeun. La Seine était le ruisseau qui sourdait des entrailles du marais. Il ne lui manquait que la limpidité des eaux filtrées par la tourbière.

Voilà comment Roparz se réconfortait pendant que les ombres tentaient de l'éloigner de moi. Il disait qu'on était semblables à ces couples de colombes en cage sur les quais. Seule la femelle intéressait l'acheteur. Le producteur allait me baguer, m'ouvrir la porte et me lâcher dans sa volière dorée. Le mâle se laisserait crever de faim.

J'essayais de rire. Je lui disais, oh, Roparz, tu te goures mon amour, nous sommes inséparables, et à bien réfléchir tu es moins vulnérable que moi : tu écris et tu trouveras toujours quelqu'un pour chanter tes textes, tandis que moi, sans tes paroles, je n'existe pas. C'est moi qui risque d'être larguée.

Il disait détrompe-toi, les textes ils s'en foutent tout autant que de moi. Mes mots sont interchangeables. Ils les feront récrire par des nègres, les mettront au goût du jour.

« Et tu les laisseras faire ?

— Non, tu penses bien. »

Alors, je riais franchement.

« Tu veux me flanquer la trouille ?

— La trouille est salutaire, on dit ça, non ?

— Tu ne t'en fous pas, alors, de Mister Prode ?

— Rassure-toi, pas totalement. Mais ce qui compte pour moi, c'est mon roman. La chanson est un art bâtard.

— Un art mineur, disait Gainsbourg.

— Tu vois, même un génie comme lui en était persuadé. »

Drôle de couple de conquérants qui promenait son scepticisme en laisse, de flaque d'ombre en flaque d'ombre, du clair-obscur du Yeun à la pénombre des bistrots, et des rues coupe-gorge à une chambre d'hôtel exposée au nord.

Un jour, j'ai dit à Roparz qu'il fallait profiter de notre présence à Paris pour essayer de rencontrer l'éditeur qui lui avait conseillé de retravailler son manuscrit.

« Aucune envie.

— Rajoute une page. Ecris une fin ouverte.

— Fermée, a-t-il répondu en forçant sur l'amertume. Mon sosie ouvre une porte et derrière la porte, un mur. La vie est comme ça, non ?

— Oui et non. Il y a des gens qui prennent une masse et cassent le mur.

— Comme nous.

— Si on veut.

— Sacrée Lyne, tu n'aimes pas les murs, hein ? »

Il a écrit une trentaine de pages sur cette histoire de porte qui s'ouvre non pas sur un mur mais sur le désert du Yeun où son homonyme – il n'était pas décidé à baptiser son personnage d'un autre nom que le sien – s'enfonçait peu à peu dans les sables mouvants. On a fait une photocopie du manuscrit terminé et on est allés la déposer au plus près, au hasard, chez un éditeur de la rue des Canettes auquel Roparz n'avait pas soumis la première version.

A l'intérieur d'un bureau vitré surélevé, il y avait une fille qui faisait office de réceptionniste et de standardiste. Elle était occupée au téléphone. Les yeux au ciel, elle envoyait paître un importun : un auteur qui voulait avoir des nouvelles de son œuvre. « Je vous dis que non... Pas de nouvelles par téléphone... On n'en finirait plus... On vous écrira, je vous dis... Quatre mois ? C'est normal... Il est en lecture... Voilà. »

Quand elle a raccroché, deux petits vieux qui étaient assis sur deux chaises métalliques se sont levés. Déjà ratatinés par le grand âge, ils se sont courbés encore sous le regard du cerbère qui les dominait du haut de sa niche.

« Nous voudrions voir le directeur, a dit la dame.

— C'est pour quoi ?

— Un manuscrit, a dit le vieux monsieur.

— Un dépôt ? C'est moi qui prends. Donnez. »

Les petits vieux ont échangé un regard de détresse. Le monsieur a battu des paupières. D'un cabas en toile noire, la dame a tiré un paquet ficelé, l'a donné à son mari, qui l'a tendu à la fille.

« Vous avez mis votre nom ? Votre adresse ?

— Oui, oui », s'est empressée de dire la vieille dame.

La fille a empoigné le paquet et l'a jeté sur une pile. Les petits vieux ont fixé le paquet de guingois sur le tas, comme si c'était leur gosse qu'on avait balancé sur un tas de cadavres. Ils ont attendu.

« C'est bon, a dit la fille.

— Vous ne nous donnez pas un reçu ? a dit la vieille dame.

— Vous avez gardé une copie ? J'espère que vous avez gardé une copie !

— Oui », a dit le vieux monsieur.

Le téléphone a sonné. Tout en décrochant, la fille a lancé :

« Vous aurez des nouvelles dans trois, quatre mois. »

Le vieux monsieur demeurait comme hébété devant le guichet.

« Viens, Paul », a dit la vieille dame.

Le vieux monsieur a récupéré une canne dans un seau à parapluies et, bras dessus, bras dessous, ils se sont dirigés vers la sortie.

« On se casse, a dit Roparz entre ses dents.

— Ne fais pas l'idiot. »

Au téléphone, la fille était volubile et enjouée. Une copine, à l'autre bout.

« Tu as vu ? Tu as vu les petits vieux ? Tu as vu comment elle les a traités ? Des années de boulot, toute leur vie, peut-être, dans cette enveloppe, et elle l'a balancée comme une merde.

— T'énerve pas pour une conne, ça mérite pas. »

J'ai pris le manuscrit et l'ai posé sur le guichet en disant à la fille qui parlait toujours : « C'est une photocopie, le nom et l'adresse sont à l'intérieur, on repasse dans trois mois. »

On a eu droit à un sourire éblouissant – voilà des gens qui connaissaient la musique ! pas des enquiquineurs, ceux-là ! On a eu droit aux égards de ses doigts délicats qui ont saisi l'enveloppe et l'ont délicatement déposée sur le paquet ficelé des petits vieux. Et pour finir on nous a gratifiés d'un hochement de tête entendu et d'un petit signe de la main.

En nous baladant avant de rentrer, on est passés rue du Cherche-Midi et j'ai vu la plaque de l'éditeur qui avait écrit la lettre d'encouragements.

« Ils t'ont renvoyé le manuscrit ?

— Non. Ils doivent attendre que je me manifeste.

— C'est l'occasion de le récupérer. On entre ?

— Ils le renverront par la poste.

— Pourquoi refuser le contact ?

— Je te l'ai dit et on en a assez discuté, à Stang Du. Je n'ai aucune envie de disserter sur ma prose. Ou ils prennent, ou ils ne prennent pas. Qu'ils ne m'emmerdent pas.

— On aurait pu leur soumettre la version définitive. Ils ont été sympas.

— Pour te faire plaisir, on leur déposera une photocopie. Anonymement.

— Anonymement ?

— Histoire de les tester, a-t-il ricané, voir s'ils se souviennent de la première version. Si ça se trouve… »

Il n'a pas fini sa phrase.

C'est moi qui ai déposé la photocopie, avec l'adresse de Stang Du. Je ne voulais pas prendre le risque que l'éditeur téléphone à notre hôtel, ou s'y pointe. Roparz aurait pris la fuite, je crois.

Enfin, quelques semaines plus tard, il y a eu ce coup de fil de Mister Prode. Il annonçait la date du grand soir.

« Achète-toi un deuxième foulard, Eva, colle-toi les deux autour du cou et dors avec. Un studio, ça coûte la peau du cul. Il y a un dédit de 100 000 balles suspendu à tes cordes vocales.

— C'est obsessionnel, chez vous, j'ai dit.

— Le pognon ? Pas toi qui le gagnes…

— Non, l'extinction de voix.

— L'expérience, ma poule. J'en ai vu des pétasses s'arranger pour fumer trois paquets de clopes et prendre un bain de minuit à Deauville, en février, la veille d'enregistrer.

— Vous en faites pas, je serai au top.

— J'y compte bien, Eva.

— Et après, comment ça va se passer ?

— On signe le contrat, et sac au dos sur les sentiers de la gloire.

— D'accord, mais question hôtel et bouffe ? On est à sec.

— Holà ! Faut pas croire que la monnaie va dégringoler tout de suite. Le jackpot, c'est comme une pompe à main. Faut l'actionner à se démolir le bras avant que ça te coule sur les escarpins. La semaine prochaine, on amorce. Pré-tests et tests sur échantillons. Si on a un bon feed-back, coiffeur, garde-robe, séances photos, big raout à un max de journalistes et d'animateurs radio et télé, et on investit les ondes. Faudra deux mois avant qu'on soit fixés. Ou tu décolles, ou je me plante.

— On aurait besoin d'une avance.

— On en reparle dans huit jours, OK ? »

Roparz a dit : « Quel fumier ! Il voudrait qu'on fasse la manche dans le métro ou quoi ? Deux mois ? Comment on va payer l'hôtel ? Il faut qu'on rentre, Evelyne.

— Je vais bosser », j'ai dit en plaisantant.

Le Figaro traînait sur la table d'à côté, dans le bistrot où on dînait d'un sandwich et d'un verre de vin rouge.

« On se fait une soirée petites annonces.

— Avec cinq millions de chômeurs, tu parles si t'as une chance. »

Une annonce m'a sauté aux yeux. J'ai eu l'impression qu'elle était imprimée en caractères gras tellement elle semblait s'adresser à moi.

« Regarde ! T'appelles ça comment ? La chance ou le hasard ? »

Il a ricané.

« Déconne pas avec le hasard, Lyne. »

Il a lu l'annonce.

« Tu me laisserais seul dans l'enfer urbain ?

— Tu pourrais rentrer à Stang Du. Non... Il vaudrait mieux que tu restes ici. Je te ferai virer mon salaire.

— Ho ! Lyne ! Tu parles sérieusement ?

— Très sérieusement. »

On a relu l'annonce ensemble. Un tour-opérateur allemand cherchait des « chanteuses de variétés, 25 ans maxi, pour animation de clubs de vacances, saison d'été, parfaitement bilingues français/allemand ».

« Tu parles allemand ?

— Je suis une fille du Nord.

— Mais tout le bazar ? Les photos ? Le lancement ?

— Il attendra deux mois, le Craube. A son tour. Pas plus mal. Si ça marche, il pourra jouer sur le suspense. Dévoiler la mystérieuse Eva Stella à la rentrée.

— Seul ici, je vais clamser.

— Avant de te flinguer, attends voir d'abord si je suis embauchée. La concurrence doit être rude. »

J'ai réfléchi à une chose, pendant qu'on sirotait un café, chacun muré dans son silence : sous quel aspect me présenter ? Eva n'allait pas tarder à sortir de l'œuf – enfin, on pouvait l'espérer. Pouvais-je la compromettre, la brune au maquillage de geisha, future star, peut-être ? Roparz a lu dans mes pensées.

« Qui va y aller, auditionner à ton machin ringard ? Evelyne ou Eva ?

— Question ringardise, je suis déjà tombée bien bas, au Modern Dancing.

— Pas évident. Si tu deviens célèbre, ça fera une page de choix dans ta biographie.

— Dans ce cas, deux mois dans un club de vacances ça fera une page de plus.

— Et la joie des gazettes !

— Je ne vois pas la différence.

— Laisse tomber. C'est ton problème. Tu fais ce que tu veux.

— Décide, toi !

— Eva. Comme ça Evelyne ne me quittera pas.

— C'est une déclaration d'amour ?

— Va téléphoner, puisque notre avenir en dépend. »

J'ai appelé au numéro indiqué. Auditions le surlendemain.

Partie sous les traits d'Eva, en chemin j'ai décidé d'être Evelyne en pensant que les Allemands préféreraient une blonde aux yeux bleus, une fille nature, avec juste une touche de rouge sur les lèvres et rien sur les joues, sinon les bonnes couleurs d'une figure saine débarbouillée à l'eau claire. Je serais des leurs. A proximité du lieu de rendez-vous, j'ai ôté ma perruque et mes lentilles et me suis démaquillée dans les toilettes d'un bistrot.

Je me suis présentée dans une petite salle de cinéma du IXe arrondissement. Sur la scène se tenaient un technicien debout devant le pupitre d'une sono de fortune et un musicien assis devant un Yamaha. Ces messieurs-dames les voyagistes, bloc-notes et stylo en main, occupaient le premier rang de sièges. Derrière eux il y avait une nuée de filles sur leur trente et un, presque toutes en mini et les seins jumelés serrés à l'Ultrabra. Une sous-maîtresse en tailleur et lunettes a fait l'appel. Ordre alphabétique, organisation teutonne, impitoyable sélection.

Le premier test consistait à converser en allemand avec le jury. Beaucoup de filles connaissaient à peine trois mots. Remerciées illico. Celles qui arrivaient à baragouiner la langue de Goethe étaient autorisées à pousser une chansonnette de leur choix. Déjà, qu'on leur laissât le choix, ça les démontait. Alors le plus grand nombre s'essayait à imiter une vedette du moment. Cela donnait des chanteuses de fourneaux, des casseroles d'achélèmes, des candidates potentielles aux jeux télévisés. Seulement deux filles avant moi ont été priées de s'installer sur la rangée de sièges à droite du jury.

La sous-maîtresse a prononcé mon nom de fille du Nord. Je suis montée sur la scène et j'ai commencé par ôter le micro de sa fourche. Le baratin en allemand, ça a été une formalité. Je me suis permis de répéter deux fois les mêmes phrases, une fois dans une langue châtiée, la seconde en argot. Le jury a ri de contentement.

« Maintenant, voyons si vous chantez aussi bien que vous parlez », m'a dit un gros type à l'accent de Munich.

J'ai fourni quelques indications à l'accompagnateur et je leur ai balancé un pot-pourri de mon répertoire Modern Dancing. Ils en ont pris plein la vue et les oreilles. Sauf la sous-maîtresse, qui s'est contentée de sourire, les tour-opérateurs ont applaudi. Les filles qui avaient passé la rampe ont grimacé de dépit. D'autres, dans le fond, se sont tirées avant d'auditionner, dégoûtées.

L'entretien a été vite expédié : comme j'étais celle qui parlait le mieux allemand, ils m'embauchaient dans un club surtout fréquenté par les Germains, en Turquie, du côté d'Alanya. Logée, nourrie, blanchie, et cinq mille francs nets par mois. Sur place, un chef animateur distribuait les rôles. Le mien serait des plus simples. Il ne fallait pas que je m'inquiète. A en juger par ce que je leur avais donné à voir et à entendre, je n'aurais aucun problème. Un seul ennui mineur subsistait : la date de mon départ. Le charter Paris-Bâle-Antalya que je devais prendre décollait vers deux heures du matin, la nuit de l'enregistrement de *L'allumeuse d'étoiles*. Ils m'ont demandé dans quel quartier de Paris je devais me trouver ce soir-là et m'ont dit qu'en pleine nuit il fallait à peine trente minutes pour rejoindre Orly-Sud. Ayant l'air de tenir vraiment à moi, ils ont ajouté qu'ils souhaitaient que je fasse tout mon possible pour prendre cet avion, mais que, au cas où je le raterais, ce ne serait pas catastrophique. Ils s'arrangeraient. Ils avaient d'autres vols, tous les jours, soit de Bâle, soit de Munich.

J'ai signé.

Roparz m'a fait la gueule. Mister Prode est tombé des nues quand je lui ai dit, dans la voiture, que j'allais disparaître du monde pendant les deux prochains mois.

« Quelle idée de te barrer dans un foutu club pendant deux mois... »

Le reste de la conversation, je l'ai déjà écrit.

Ça se terminait par :

« "On est arrivés", a dit le producteur en virant large pour monter sur un bateau, face à une porte cochère dont il a déclenché l'ouverture en appuyant sur une télécommande.

« La porte s'est ouverte, et au lieu de la cour pavée de cet immeuble de rupins, j'ai revu la cour de la ferme, le soir où j'avais aidé Roparz à ramener sa mère à la maison. »

Voilà, la boucle est bouclée. Sacrée virée sur le périphérique de cette tranche de ma vie. A cause de Roparz, j'ai drôlement sinué, en route. Mon récit a sinué, parallèle à nos propres tours et détours réciproques. A ce stade, j'ai une image en tête : celle de ce jeu du labyrinthe qu'on trouve dans les magazines pour enfants. En bas de la vignette, l'un à droite, l'autre à gauche, Roparz et moi, chacun prisonnier d'un petit carré duquel part un chemin. Ces deux chemins, au-dessus, s'emmêlent et forment une grosse pelote de laine. A un moment donné, en haut de la vignette, les deux chemins n'en font plus qu'un et conduisent à un autre carré, unique, où les deux personnages échangent un baiser. Des petits cœurs s'envolent. On sait qu'ils s'envolent, à cause des petits traits dessous. Peut-être y a-t-il aussi deux ou trois « smacks ».

Bien que les personnages soient réunis et s'embrassent, le jeu n'est pas terminé dans mon labyrinthe. Une autre voie, toute droite, sort à la verticale du carré du haut et disparaît, hors du cadre.

Je suis aujourd'hui la seule à savoir ce qui s'est dit et ce qui s'est joué, hors champ.

La seule à savoir où mène cette droite.

A l'infini ? Pourquoi pas ?

Mort est synonyme d'infini, et mort et infini sont tous deux synonymes de connerie.

Les deux battants de la porte cochère se sont refermés et on est descendus de la limousine. Devant nous, au-dessus d'une batterie de soupiraux, s'alignaient de hautes portes-fenêtres de chaque côté d'une porte d'entrée à laquelle on accédait par un perron. Tout était allumé, et j'ai supposé qu'il y avait du monde dans l'hôtel particulier. Ce n'était pas le cas : l'éclairage de la cour et du hall était commandé par le passage de la voiture à l'instant où elle coupait un rayon invisible entre deux bornes.

« Allez-y, les amis, c'est ouvert. »

A l'intérieur du hall, Mister Prode a jeté un coup d'œil sur le témoin d'un répondeur-enregistreur – éteint –, puis a ouvert une autre porte qui donnait sur une grande salle. Décor à la Pierre Loti, en moins chargé, mais en plus chasseur. Tapis d'Orient, peaux de bêtes, services à thé berbères, cuivres, pièces de cristal dans des vitrines, salon en cuir blanc, carrés de soie jetés sur des bergères, un capharnaüm, mais de luxe. A côté de ça, Stang Du était vraiment une porcherie. Mister Prode n'y aurait pas logé ses chiens. Chiens de chasse ? Il y avait un tas de trophées accrochés aux murs. Drôle de galerie de portraits.

« Ça vous plaît ? »

On a deviné qu'il fallait au moins faire semblant de s'intéresser au hobby et accepter une station sous chaque tête d'animal.

« Tous ces trophées sont des capes, qu'il ne faut pas confondre avec des massacres. Le massacre, c'est uniquement l'os frontal et les cornes. La cape, comme vous le voyez, c'est la tête coupée jusqu'aux épaules, naturalisée et fixée sur un écusson. En bois précieux, les écussons. S'agit de rendre les honneurs à l'animal.

— Vous êtes bien bon, a marmonné Roparz.

— Pardon ?

— Rien. Très intéressant, je disais à Lyne.

— Lyne ?

— Eva.

— Celle-ci est un impala, ou gazelle aux pieds noirs. Très commune, un trophée sans grande valeur ni grand mérite. A côté, un grand koudou. Plus loin, *a sable*, ou *sable antelope*. Dans le vocabulaire héraldique anglais, *sable* qualifie un blason noir. Enfin, je crois. Je tiens ça de mon guide. En tout cas, cette antilope est toute noire, elle. Ah ! ici, plus rares, des trophées de bongo et de céphalophe à dos jaune. Beaucoup plus difficiles à traquer. Vivent dans la forêt équatoriale, très dense, où le soleil pénètre à peine.

— Faudrait les chasser à la lunette à infrarouge, a dit Roparz.

— Ma foi, c'est une idée. Je n'y avais pas songé. »

Mister Prode a longuement hoché la tête devant un énorme trophée.

« Ça, c'est quelque chose ! Un trophée très recherché. La plus grande des antilopes, qui porte plusieurs noms. *Giant elan* ou élan de Derby, mais plus familièrement, en brousse, *The Ghost* ! Le fantôme ! Pourquoi ? Parce qu'elle apparaît au sommet d'une crête, vous marchez vers là, contre le vent, et puis elle disparaît. Elle réapparaît dans la plaine, immobile. Le temps de prendre vos jumelles, elle a de nouveau disparu. Vous marchez des jours et des jours à sa poursuite et enfin, un matin ou un soir, elle s'offre. Ne bouge plus, comme si elle attendait la balle.

— Poétique », a dit Roparz.

Le Producteur ne se rendait pas compte qu'il se foutait de sa gueule.

« Attendez, il y a mieux, s'est extasié le tueur devant le dernier trophée. Un nyala des montagnes. Pas plus extraordinaire que les autres, me direz-vous. Mouais… Seulement voilà, cette antilope vit près du lac Tsana, où le Nil bleu prend sa source, dans une toute petite partie du massif éthiopien. Ces montagnes culminent à plus de quatre mille cinq cents mètres. Imaginez la traque ! Il n'y a pas au monde une seule photo de l'animal vivant. On ne lui tire le portrait que mort. Ce n'est pas qu'une balle aille plus vite qu'un obturateur d'appareil photo. Non, une question de force physique… et de fric à claquer. Un chasseur accepte de balancer une fortune, les photographes… C'est vous dire si ce trophée est rarissime.

— Combien de temps ça vous a pris pour l'avoir ? »

Mister Prode a hésité.

« Allez, à vous je peux bien l'avouer : je l'ai acheté, juste histoire de faire chier Mireuil et les copains. »

On a ri, poliment.

« Pas d'éléphants, de tigres, de lions ? l'a charrié Roparz.

— Non. Je ne m'intéresse qu'aux gazelles et aux antilopes.

— Aux jeunes filles, en quelque sorte. »

Mister Prode a grimacé.

« Si vous voulez.

— Tu es la gazelle aux cheveux noirs qu'on a chassée, Lyne, a dit Roparz.

— Hé ! Hé ! qui sait ? a gloussé Mister Prode. Dénicher de nouveaux talents, ça s'apparente à la chasse. Sauf que les filles comme Eva, je les veux bien vivantes.

— La gloire, c'est une façon d'empailler les gens.

— Vous aimez vous masturber les méninges, mon vieux », a dit Craube d'un ton sec, commençant à comprendre que Roparz le chambrait.

Une fois la visite guidée terminée et l'inventaire des pauvres bêtes achevé, Mister Prode a tendu le bras en direction d'une pièce séparée du grand salon par une voûte.

« Mon terrier. »

L'éclairage y était différent et la lumière plus blanche, qui mettaient en valeur le doré des titres sur les tranches de cuir de beaux livres impeccablement rangés dans des bibliothèques en acajou. Des photos, souvenirs de chasses – sur certaines, on reconnaissait Mireuil en tenue de baroudeur –, ornaient les murs, parmi une collection de natures mortes – bécasses, bécassines, faisans et que sais-je. Un râtelier, également en acajou, complétait le décor : j'ai compté sept fusils.

Roparz m'a regardée. Pas besoin de me traduire ce regard. Il voulait dire : « Et c'est ce con-là qui nous refuse dix mille balles d'avance pour croûter ! »

Mister Prode s'est calé dans un fauteuil en cuir pivotant et nous a offert de nous asseoir en face de lui, sur des sièges de style à dossier raide.

« On se croirait chez le notaire, a dit Roparz.

— Vous avez déjà eu affaire à des notaires ? »

Sous-entendu : qu'est-ce qu'une sous-merde de marginal pouvait avoir à fabriquer avec un notaire ?

« J'ai hérité de bâtiments de ferme et de terres.

— Un capital !

— Dans un endroit où ça se vend cent balles l'hectare.

— Valeur sentimentale… inestimable.

— J'interdis la chasse.

— C'est le droit du propriétaire, a dit Mister Prode, de plus en plus agacé. Bon ! Passons… Qu'est-ce que je peux vous offrir ? Whisky ? champagne ? gin tonic ? bourbon ?

— On ne voudrait pas vous mettre en retard, a dit Roparz.

— On a le temps de prendre un verre. J'espère que vous m'excuserez… J'avais prévu de vous inviter à dîner, mais Claudia s'est engagée par ailleurs, sans me prévenir.

— Et puis j'ai un avion à prendre.

— Exact. J'avais oublié. Quelle heure est-il ? Ça va, vous êtes dans les temps. Pour notre petit dîner dans l'intimité, ce n'est que partie remise. Les occasions ne manqueront pas d'arroser notre succès. Je vous promets qu'on en aura vite marre, de l'arroser. Ras le cul. Le problème sera de refuser les invitations. Alors, whisky ?

— Whisky, on a dit.

— Glace ?

— S'il vous plaît.

— Je vais en chercher. »

Il est parti quelque part à l'autre bout de la planète chercher des glaçons. Roparz et moi on n'a pas échangé une parole. On s'est contentés de grimacer. On était comme ça, nous deux : l'échange d'opinions, on aimait se le garder au chaud.

Cristal, scotch, glace : on a trinqué. J'ai eu l'impression d'être en train de répéter une pièce de théâtre. La scène d'introduction. L'un des personnages a une question importante à aborder, mais ne sait pas très bien comment l'aborder. Bon, euh... eh bien...

« Maintenant, liquidons la petite formalité. »

Voilà. Le personnage s'était jeté à l'eau.

Mister Prode a sorti un dossier du tiroir de son bureau, et du dossier a tiré une chemise contenant plusieurs feuillets sous une couverture transparente. Il a posé un stylo sur les feuillets et a fait glisser le tout vers moi.

« Tout est en ordre, Eva. Contrat type. Y a pas de lézard. Tu peux signer les yeux fermés. »

Lui, il a eu un regard en coin. Moi, j'ai vaguement parcouru la première page. Il manquait mon état civil, seul était écrit mon pseudonyme, Eva Stella.

« On complétera après, t'inquiète... Les filles au bureau ont l'habitude de tout ce bazar. Tu leur refileras un bulletin de naissance. Mets tes initiales en bas de chaque page, et "lu et approuvé" au bas de la dernière. J'ai déjà signé. »

J'ai mis des « E.S. » un peu partout, je n'ai pas lu, j'ai approuvé et j'ai signé.

J'ai glissé le contrat à Roparz, qui a pris le stylo.

« Pas vous, c'est pas la peine », a dit Mister Prode en avançant la main.

Roparz a été plus vif que lui. Il a subtilisé le contrat.

« Expliquez-vous, j'ai dit.

— Ce contrat est entre nous deux. Lui, il n'est pas dans le coup.

— Lui, j'ai dit, il a un nom. Six mois que vous le voyez avec moi et vous ne savez pas encore son nom ?

— Attention, Eva, ne nous égarons pas.

— Aucun risque que je m'égare là-dedans, a dit Roparz, mon nom ne figure nulle part. Quelqu'un qui n'existe pas ne peut pas se perdre.

— On a mis nos billes sur Eva, pas sur vous.

— Il a écrit les textes, j'ai dit.

— UN texte, a dit Mister Prode.

— Quinze, j'ai dit, les quinze titres de l'album.

— Je me figurais que vous aviez compris. J'achète pas par lots.

— *L'allumeuse d'étoiles*, vous l'achetez, non ? j'ai dit.

— Evidemment. On lui signera un contrat. Il touchera sa part sur les droits de diffusion. Eh bien alors, vous, le poète, dites quelque chose !

— Je lis et je me marre, a dit Roparz sans lever les yeux.

— Rendez-moi ce contrat !

— Minute !

— Eva, demandez-lui d'être raisonnable, a dit Mister Prode d'une voix presque larmoyante.

— Ça vient, je termine… Voilà, je suis à vous. »

Roparz a roulé le contrat et a commencé de se tapoter le genou avec en tendant l'oreille.

« Que faites-vous ?

— J'écoute le bruit des piécettes d'or qui tintinnabulent. En dégringolant dans votre escarcelle. Belle arnaque.

— Vous êtes juriste ?

— Fils de paysan.

— Je vois pas le rapport.

— Un acquis génétique. En présence des pourris, je sécrète des anticorps en pagaille.

— Dites donc !

— On peut pas baiser un plouc.

— On baise personne.

— Empailleur de gazelles ! a ricané Roparz. T'es son plus beau trophée, Lyne. Abattue dans les monts d'Arrée. Avec ça, il t'accroche au mur. Boulonnée. Exclusivité totale pendant dix ans : CD, concerts, droits annexes, photos, vente de ton image, tout ! Tout y passe ! Ils revendront même aux Japonais tes petites culottes usagées.

— Je n'en porte pas, c'est con, hein ? » j'ai dit.

J'avais pigé : ils avaient voulu nous avoir. Et tout à coup, moi aussi j'ai eu envie de tout foutre en l'air. Mister Prode s'était mis à dégouliner. Comme si la graisse fondait sous sa peau. Répugnant.

« L'apothéose, c'est le pourcentage. Un pour cent, un tout petit pour cent pour Eva sur les bénéfices nets. Nets après frais et débours de Mister Prode…

— Mister Prode ?

— Calcule, Lyne : un pour cent sur trois fois rien ? Dix fois rien, au moins !

— C'est dégueulasse. Même le plus radin des maquereaux en lâche plus à ses OS du cul.

— Eva ! Qu'est-ce qui vous prend ? Un instant ! Discutons, a dit Mister Prode en faisant un geste d'apaisement. Il y a peut-être des points que nous… Bon ! Vous vouliez une avance ? Combien il vous faut ? Dix mille ? Vingt mille ? Je peux aller jusqu'à trente mille. »

Il a sorti un chéquier du tiroir du bureau et s'est penché pour récupérer son beau stylo.

« D'accord pour trente mille ?

— Cinquante mille », j'ai dit.

Il a esquissé un sourire. On revenait en terrain connu. Bizness-bizness.

« Vous ferez votre chemin, Eva. OK, cinquante mille. Comme ça d'ailleurs vous n'aurez plus besoin de partir. Vaut autant. Ce sera mieux, finalement. »

Roparz a poussé le bouchon un peu plus loin.

« On préférerait du cash. Vous comprenez, on n'a jamais payé d'impôts, on ne voudrait pas commencer tout de suite.

— Du cash ? Mais c'est une avance. Quelle preuve j'aurai que…

— On va rajouter deux lignes au contrat.

— Ah, dans ces conditions… »

Comme au cinoche, le coffre était dissimulé derrière les bouquins. Faux bouquins. Tout un panneau de tranches qui basculait. Il a ouvert la porte et a farfouillé à l'intérieur. Roparz m'a fait un clin d'œil et a articulé sur les lèvres : « On-va-le-bai-ser. » Mister Prode a refermé son coffre et le panneau décoratif, s'est rassis et a poussé une liasse vers Roparz, qui l'a poussée vers moi. Un râteau de croupier et on se serait cru au casino.

« Recomptez, a dit Mister Prode.

— On vous fait confiance. »

J'ai fourré la liasse dans mon sac.

« Etonnant comme les situations basculent », a dit Roparz.

Mister Prode a débouché la bouteille de scotch. Il respirait de nouveau normalement.

« Je vous en ressers un doigt ?

— Volontiers », a dit Roparz, et le connaissant tel que je le connaissais, j'ai compris que ce mot annonçait une chute qui laisserait Mister Prode sur le cul. « Vous êtes dur en affaires, mais vous savez vous retourner quand il le faut. »

Devenu gibier, Mister Prode s'est pris les cornes dans le filet du compliment. Il a lampé son whisky et clappé de la langue.

« Bah ! Faut pas m'en vouloir. Dans ce métier... Manger ou être mangé, je vous fais pas un dessin. Et puis faut s'entourer de garanties.

— Garanties ?

— Eviter que les jeunes talents cèdent aux sirènes de la concurrence et s'en aillent signer ailleurs, sitôt les premières hirondelles du succès posées sur la portée.

— Joli, j'ai dit.

— Avec ce contrat-là, aucun risque que les hirondelles s'envolent, a dit Roparz. C'est de la glu.

— Croyez pas que ce soit si facile de gagner son blé. »

Roparz a promené un long regard circulaire sur le décor.

« Les fruits de vingt années de galère, tout ça, s'est défendu Mister Prode.

— Galère ? Vraiment ?

— Combien de tentatives pour un essai transformé ? Trente, cinquante ? J'ai jamais tiré de statistiques. Vaut mieux pas.

— Pas de martingale ?

— Ah ! Ah ! S'il y en avait !

— Je vous plains, a dit Roparz. Sincèrement. »

Le « sincèrement » a fait tiquer Mister Prode. La conversation prenait à nouveau un tour déplaisant.

« Je vais ranger ce contrat », a-t-il dit en avançant la main.

Roparz le lui a tendu, mais à l'instant où les doigts de Mister Prode allaient s'en saisir, il a reculé le bras, comme par mégarde, ou comme sous le coup d'une pensée subite.

« Quand même, quand même. Admettez que vous vous taillez la part du lion. »

Mister Prode a eu un sourire en coin, la lèvre supérieure légèrement de travers.

« Si vous me permettez un vilain jeu de mots, disons la part du Pygmalion.

— C'est bien trouvé. Parce que dans Pygmalion, il y a *pig*.

— Dites donc ! Vous allez trop loin, jeune homme !

— Le porc, j'ai déjà donné. J'en viens. Je suis né dedans.

— Ça se voit.

— N'est-ce pas ?

— Restons-en là, s'il vous plaît. Ma femme m'attend, Eva a son avion à prendre... Donnez-moi ce contrat.

— Faut qu'on réfléchisse.

— Oui, on va réfléchir, j'ai dit.

— Quoi ? Réfléchir ? Vous vous foutez de moi ? Si vous ne me donnez pas ce contrat, j'annule tout.

— Bien forcé, sans contrat ! a dit Roparz.

— Et c'est vous, vous les traîne-lattes, qui paierez la casse ?

— Quelle casse ? L'enregistrement est bon, gravé pour l'éternité, il peut attendre qu'on se soit mis d'accord. Il n'y a pas le feu.

— Et le cocktail de lancement, les trois cents invitations, la virée des prescripteurs dans l'Algarve, aux frais de la production ? C'est vous qui allez l'annuler ?

— Tiens donc ! Je croyais que vous n'étiez pas sûr de votre coup. A vous entendre, on comprendrait l'inverse.

— Ecoutez... Il y a des tickets qu'on sent mieux que d'autres. Dans ces cas-là on anticipe.

— Fumier ! Vous le saviez depuis le départ qu'Eva allait vous rapporter un max.

— Eva, oui. Vous, non.

— Mes textes ? »

Mister Prode a éclaté de rire, à se découvrir les gencives, comme un âne, ou un singe.

« Tu te prends pour Gainsbourg ? Tes textes, c'est de la merde. Sauf un. Et encore. *L'allumeuse*, qui me dit que t'as pas pompé quelque part ? A supposer que non, t'es le type d'une seule chanson. Je me pose même pas la question.

— T'es une vraie pute, Jacquot.

— Et toi, espèce de petit minable ? Tu les as pas pondus pour gagner du fric, tes mots à caresser les marginaux dans le sens des poils qu'ils ont dans la main ?

— Je ne l'ai jamais nié.

— C'est ça, joue-moi la grande scène du cynisme, maintenant !

— Ecris la suite du dialogue, trouduc. Tu ne trouves pas la rime ? Trouduc rime avec... avec ?

— Produc, j'ai dit.

— Eva, vous mêlez pas de ça ! Et votre avion ? Vous avez vu l'heure ?

— On est très large.

— Bon ! Qu'est-ce que vous voulez, exactement ?

— Revoir ce contrat.

— Impossible.

— Dans ce cas, on le garde en souvenir, a dit Roparz. On l'encadrera et on l'accrochera au mur. Comme un trophée. »

On s'est levés.

« Assez joué, maintenant », a grogné Mister Prode.

Sa main a plongé dans le tiroir de son bureau. Est ressortie. Il braquait un pistolet sur nous.

« Le contrat ou bien...

— Ou bien quoi ? s'est esclaffé Roparz. Tu vas me tirer dessus ? Non seulement t'es une pute, mais t'es un vrai con, en plus. Allez, on se casse, Lyne.

— Bouge pas ! Pose le contrat sur le bureau.

— Appelle les flics !

— Après.

— Après quoi ?

— Après t'avoir descendu. »

Il avait l'air déjanté. J'ai eu peur, tout à coup.

« File-lui ses papelards.

— Ah ouais ? a continué Roparz. Et qu'est-ce que tu leur diras, aux flics ?

— Que tu m'as agressé. Ma parole contre le témoignage d'une grognasse. Ils me féliciteront : un Rmiste de moins à nous sucer la substance ! »

J'avais de plus en plus la trouille. Ce taré était bien capable de tirer.

« Et le contrat ? Et Eva ?

— Une pub en or ! Je vois d'ici les titres : le Pygmalion d'une chanteuse de bastringue agressé par le poète fou.

— Taillons-nous, Roparz. File-lui ses papiers. On s'arrangera pour que ça ne lui rapporte rien.

— Comment ça ? a dit Roparz.

— Je ne chanterai plus.

— C'est une idée… Ah ouais, une sacrée bonne idée ! »

Mais il en avait une autre derrière la tête, j'ai senti ça.

« On lui a piqué cinquante mille balles, Roparz. N'insiste pas.

— Je n'insisterai pas. »

Il a avancé jusqu'à toucher le bureau. Mister Prode le tenait toujours en joue, pistolet braqué sur sa poitrine.

« Tiens, prends-le ton contrat et fais-en des confettis pour ton coquetaile de presse. »

Mister Prode a tendu la main et là, je ne sais pas ce que dans sa folie Roparz a voulu faire. Le désarmer pour lui casser la gueule, après ? Ça s'est passé tellement vite que je n'ai vu que des bras soudainement emmêlés, deux visages crispés, l'arme brandie, canon en l'air, canon en bas, canon en l'air, et puis à l'horizontale, soudain.

Entendu le coup de feu.

Roparz est tombé la face contre le sous-main, puis il a glissé de mon côté, et son corps s'est déplié comme s'il cherchait sa meilleure position de sommeil, sur le côté, la tête renversée, le bras droit en travers du cou.

Sommeil ? Ses yeux et sa bouche restaient grands ouverts.

L'assassin a posé son arme sur le bureau et s'est agenouillé. Il s'est retourné vers moi.

« Bon Dieu, il est mort.

— Mort ? j'ai crié.

— Mort, le con… »

J'ai hoqueté : mort, le con ? J'ai saisi le pistolet.

« Eva ! donnez-moi cette arme ! »

Donnez-moi ce contrat ! Donnez-moi cette arme ! Donnez-moi votre âme ! Voleur ! Voleur d'avenir !

Voleur de passé… Alors, à cause de lui j'avais fait tout ce chemin pour rien ? J'avais germé dans le poussier, bourgeonné dans les corons, roulé mon bonhomme de boue le long des trottoirs, écarté les cuisses pour survivre, monté sur les planches du Modern Dancing, et enfin pénétré dans le ténébreux paradis de Stang Du, notre berceau, notre cocon, notre ventre maternel, à nous les jumeaux, les anges déchus appelés vers la lumière ? Le Yeun, je l'ai vu comme une île s'élever vers le ciel, avec la ferme, les auges, les ormes desséchés, les frênes à l'écorce métallique, les bouleaux marbrés de lichen, les chênes trapus, les gants armés des aubépines, les grives et les fouines, les mésanges et les musaraignes. Sur notre morceau de terre et d'espoir, nous étions en lévitation et regardions les nuées phosphorescentes.

Un coup de gong – un coup de feu –, et le ciel s'était éteint. Privé de l'attraction céleste, notre îlot retombait. Et explosait. Cailloux, mottes de tourbe, éclats de bois fusaient et se désintégraient. Big bang de l'apocalypse. Notre univers ne renaîtrait pas de ses cendres.

J'ai tiré. Une fois. Deux fois.

J'ai tué le voleur.

Je crois bien que j'ai eu un petit rire quand il s'est ratatiné en crachant le sang. Oh, pas un rire joyeux, un rire nerveux, un rire qui voulait dire t'es fichue ma vieille, à toi la tôle, la prison de femmes, femmes en blouse grise, aux cheveux gris, au regard gris. Femmes éteintes ? Assez ! Lumière !

Tout ce que j'ai fait ensuite pourrait sembler réfléchi, calculé et sensé. Ce n'était que mécanique.

Le pistolet, je n'ai pas su à quel moment je l'ai fourré dans mon sac.

Ma perruque, je l'ai enlevée après avoir vu mon reflet dans la porte vitrée, sur le perron. J'ai murmuré : Eva Stella, tu es morte, ma belle. Te revoilà Evelyne jusqu'à la fin de tes jours. J'ai couru d'une pièce à l'autre. Pas eu besoin d'aller très loin. Salle de bains. Je me suis démaquillée et la serviette je l'ai aussi fourrée dans mon sac.

Devant la porte cochère, je me suis affolée. Automatique. L'espèce de télécommande, dans la Mercedes ? Oui. Je l'ai dirigée vers la porte en appuyant sur toutes les touches. Les battants, en silence, ont fini par s'écarter.

Mercedes ! Mon sac de voyage ! Quelle conne, Evelyne ! Je l'ai récupéré. La porte s'est refermée derrière moi. Porte du caveau : Roparz et Eva étaient morts, Evelyne fuyait.

Un foulard sur la tête, au carrefour de Buci, j'ai hélé un taxi. Le chauffeur était un Asiatique. Il parlait à peine français.

« Orly ? Tarif nuit. »

Il m'a montré sa montre, le compteur, et a frotté son pouce et son index.

J'ai haussé les épaules.

« Cher. Pas problème ? »

Le magot ! J'avais oublié le magot. J'étais riche, c'était rassurant. J'ai balancé deux billets de deux cents francs sur le siège passager.

« Orly, c'est bon ! Pas problème. »

Il y avait la queue devant le guichet du tour-opérateur. La plupart des gens étaient déjà en sandales et vêtements légers, certains en short. En échange de leurs vouchers, les touristes recevaient leurs billets et un sac de plage rouge et blanc, puis allaient se joindre à une autre file où on enregistrait les bagages. A partir de là les plus inquiets effectuaient tout de suite les formalités de police et entraient dans la salle d'embarquement.

Mon voucher était différent des autres.

« Ah ! vous êtes de la maison, m'a dit la fille. Vous n'auriez pas dû faire la queue. »

J'ai reçu mon billet, mais pas de sac de plage.

« Je peux vous demander un service ?

— Bien sûr.

— Vous pourriez me donner un sac comme ceux-là ?

— Un sac ? Deux ou trois si vous voulez.

— Un seul suffira. Je me suis encombrée de quelques affaires que je voudrais laisser ici. Je pourrais vous les confier, et vous me les garderiez au siège. Je les récupérerais à mon retour, en septembre.

— Personne n'y verra d'inconvénient, je suppose.

— Merci. Je reviens. »

J'ai d'abord fait enregistrer mon sac de voyage et je suis allée aux toilettes. Enfermée dans une cabine, j'ai transféré mes propres affaires – kleenex, trousse de maquillage, etc. – dans le sac rouge et blanc, et dans ma propre besace j'ai mis le pistolet roulé dans la serviette qui m'avait servi à me démaquiller, ainsi que le manuscrit original du roman de Roparz, qui ne me quittait jamais.

« Je garde le sac de plage, j'ai dit à la fille. Voilà le mien. »

Elle m'a donné une étiquette.

« Ça vaudrait mieux. Que ça ne s'égare pas à l'agence. »

J'ai écrit mon nom. N'importe comment, ils l'avaient. Ce ne serait pas grâce à mon nom que les flics retrouveraient ma trace. En public, depuis mon arrivée au Modern Dancing, je n'avais été qu'Eva. Tout le temps Eva.

« Merci d'avance.

— Bon séjour », m'a dit la fille.

Une heure et demie plus tard l'avion décollait.

A Bâle d'autres passagers ont embarqué.

Lorsque l'avion a amorcé sa descente vers Antalya, le jour se levait.

J'ai pensé que je sortais de vingt-deux années de ténèbres pour me fondre dans le soleil et disparaître.

II

Petit papillon de nuit qui se cognait aux valoches, aux sacoches, aux porteurs qui se battaient pour lui arracher son sac de voyage.

Petit papillon de nuit en perdition dans les tourbillons d'air chaud qui montaient du bitume, des capots des taxis et des toits de la centaine de cars garés sur le parking de l'aéroport. N'avait même pas de lunettes de soleil. Je me suis dit tu vas déguster ma vieille avec ta peau blanche de blonde aux yeux bleus. Va falloir acheter des kilos de crème indice de protection 20 ou 30. A moins que. Il y a des blondes qui bronzent joliment : la preuve, toutes ces Allemandes, ces Suédoises, ces Danoises, ces Finlandaises qui se prélassent comme des couleuvres tressées en couronne autour des trois piscines. La plage, elles n'y vont jamais : trop crade, au rab de mégots, de trognons de maïs et de capotes gorgées de spermatos mortifères. Qu'elles disent. Mais sur ce chapitre elles exagèrent : tous les matins à l'aube une escouade de gars des montagnes qui descendent vers la mer en été pour gagner leur taf ratissent le sable gris. Ramassent les flasques méduses, scories de nocturnes et frénétiques coïts.

Voilà que je m'égare, déjà. Faut dire que je ne suis pas écrivain. Pourquoi entreprendre de terminer cette histoire, alors ? A la gloire de Lyne, alias Eva Stella. Lui rendre un dernier hommage. Et puis il n'y a que moi à pouvoir écrire la fin. Moi seul. Seul avec les flics. A l'heure qu'il est, grâce à ce que je leur ai raconté, ils ont fini de recouper les lignes de fuite de nos destins croisés. Mais les flics, qu'est-ce qui les intéresse ? Le point de conjonction. Les coups de feu et leur résultat : les cadavres dans les tiroirs de la morgue et des dossiers bien ficelés. Le back office des cerveaux, n'en ont rien à foutre. Bien sûr, avant, ils ont cherché les mobiles. Mais les mobiles, dans le cas présent, ils sont génétiques. Encore fœtus, Roparz et Lyne, ils avaient déjà l'arme au poing. L'arme du crime, c'est la vie. Et la vie, c'est tuant.

Cette fille, je me suis dit est-ce qu'elle va tenir le coup, dans ce four à dorer les peaux façon pain d'épice ? Sagement, elle avait pris son tour devant le vélum de notre employeur. Les touristes se faisaient pointer et on les aiguillait vers les cars en leur donnant le numéro du véhicule. Les porteurs les prenaient en charge. Je n'allais tout de même pas la laisser poireauter au soleil, sans chapeau, sans lunettes noires. Hello ! je lui ai dit, t'es Evelyne ? Comment je dois t'appeler ? Eve ? Evelyne ? Lyne, elle m'a dit. Eh ben, Lyne, t'es de la maison, pas la peine de faire la queue, suis-moi, je suis venu te réceptionner, en même temps qu'un plein tombereau d'Allemands à mener paître au club.

Je l'ai installée près de moi, à l'avant, où les deux sièges à droite du chauffeur sont réservés aux animateurs. La clime était en route. Le papillon a frissonné. Petit papillon de nuit qui allait mourir en plein jour. Ça va ? j'ai dit. Fatiguée ? Repose-toi.

Au fracas des roulettes des valises traînées sur le bitume on a su que le troupeau arrivait. Le chauffeur et son aide rangeaient les bagages dans les soutes, les touristes montaient en s'épongeant le front, le cou et les aisselles. Ces gens, je ne les voyais plus. Je veux dire : je ne les voyais pas plus que le train ne voit les vaches dans le pré. Comme le train objet de la considération des bovidés – j'étais leur animateur adoré, leurs regards lourds de bière restaient en permanence braqués sur moi –, j'avais l'impression de demeurer immobile, et au lieu des champs – la plage, le théâtre, le restaurant, les piscines – je ne distinguais qu'un filé de couleurs vives, pareil à ces photos d'autoroutes prises de nuit obturateur ouvert pendant des heures. A la longue, ça donne mal au crâne. Au cœur. A l'âme. Rions !

Rions ? Elle avait bien besoin d'être déridée, Lyne. Vannée, je voulais bien croire, mais... Le chirurgien de la Providence qui avait tenté le pontage entre son âme et ses zygomatiques avait dû oublier sa quincaille à l'intérieur. Avait cisaillé les nerfs du sourire. Le ciel lui était tombé sur la tête.

La douleur d'une séparation, comme on dit ? Un bien-aimé abandonné à Paris ? Oui, j'ai pensé à ça, et aussi que si elle devait garder le moral à zéro, ce serait un sacré rôle de composition qu'elle devrait tenir pour faire son boulot d'animatrice des veaux. N'aurait qu'à répéter à l'infini le mot *cheese*.

Le car a démarré et j'ai dit à Lyne, formation sur le tas, vise un peu, ma vieille, v'là l'animateur dans ses œuvres. J'ai branché la sono, empoigné le micro et salué la compagnie en allemand, en français et en anglais. J'ai dit préparez-vous à fondre comme une motte de beurre oubliée sur la plaque de la cuisinière électrique. Ici, ça cogne. 45° la semaine dernière. Un peu plus frais, cette semaine : tout juste 40°. Et l'eau est à 34°. Vous aurez envie d'une douche froide, après le bain, pour vous rafraîchir. Ça applaudit, ça s'extasie. Après, à l'intention des érudits – il y en a, de temps en temps –, petit couplet sur l'histoire de la région, refrain géo-économique, et on termine avec les taux de change. Trente mille livres turques pour un mark, ça réjouit le Prussien comme le Bavarois. Un bémol : attention aux bactéries. Boire de l'eau minérale, bouteilles décapsulées devant vous, et tous liquides en boîtes ou en bouteilles. Sinon, chiassa, tourista. On boit que de la bière, a gueulé un gros sac. Efes, la bière locale, est excellente, j'ai dit. Remplissez vos vases d'expansion, mais attention à la rupture des canalisations. Ho-ho ! Hi-hi ! Ha-ha !

Pour terminer, comme d'habitude, je me suis renseigné sur la nationalité de mes ouailles. Les Anglais, levez la main ! Pas d'Anglais. Les Français, levez la main ! Quatre jeunes ont levé le bras et trois couples, des gens dans la cinquantaine, ont échangé sourires et clins d'œil. Sans lever la main. Français : soit des habitués de l'arnaque à laquelle ils consentent, des gusses qui économisent sur le vol charter et achètent le confort de l'hôtel tout compris, et se cassent vite fait tout seuls, s'isolent, vont dîner et vivent à l'extérieur ; soit des égarés, trompés par la pub mensongère du catalogue. Ceux-là râleront dans un premier temps, et puis au bout de trois jours se contenteront itou de venir dormir au camp. Perte de recettes pour mon employeur : feront les balades en bateau au dixième du prix que le tour-opérateur les facture aux candides.

Les Allemands, levez la main ! Forêt de mains. Majorité écrasante. OK, l'histoire graveleuse, qu'ils attendent forcément d'un animateur français, je la raconterais donc en allemand. Histoire de deux Juifs qui se côtoient dans des pissotières américaines, pissent de travers, s'arrosent mutuellement les godasses, etc.

J'ai coupé mon micro et mis une cassette de musique turque, à pleins tubes. Ils gigotaient déjà du cul, dans leurs têtes de bêtes à cornes.

Je me suis occupé de ma belle Ophélie qui flottait, pâle comme un lys, sur l'océan de sa mélancolie. C'était pas possible que ce soit seulement le dépaysement qui l'ait éteinte à ce point-là. Enfin. Bof ! Comme les filles c'est pas ma tasse de thé, je n'ai pas voulu creuser d'emblée. Juste la dérider, la mettre à la coule : elle était là pour bosser et fallait que ça marche.

Mignonne, je lui ai dit, dans le catalogue de notre employeur l'hôtel est présenté comme un luxueux bâtiment central de chaque côté duquel s'étendent deux ailes qui enveloppent de toutes leurs baies une magnifique plage privée de sable fin. En réalité, ce sont trois blocs parallèles genre HLM Vaux-en-Velin, trois barrettes perpendiculaires à la mer si bien qu'il n'y a que quelques piaules à avoir vue sur mer. Piaules réservées d'une année sur l'autre au gratin, à ceux qui filent une enveloppe en cash et en dollars : rupins turcs et soviets plus ou moins mafieux. En très petit nombre, comme les Français. Le gros de la troupe est constitué d'Allemands. Pas le gratin. Sais-tu ce qui les attire ici ? La bière gratuite. Gratuite, tu as bien entendu. Gratuite et servie à volonté. Une trentaine de jeunes Turcs actionnent du matin au soir des pompes réparties aux quatre coins du camp et approvisionnées par camions-citernes. Chaque saison voit le record de la précédente battu : on repère la plus gloutonne des poches à bière, on lui attribue un matricule et à toutes les stations sa consommation est notée. A la fin de la journée, puis du séjour, on additionne les chopes calepinées. En cette saison qui vient de débuter, le record à battre s'élève déjà à 12,5 litres/

jour. On a maintes fois songé à leur remplir leur baignoire de cervoise. N'en bougeraient pas de la semaine. S'y noieraient, peut-être.

Lyne a consenti à sourire. Sourire chiche. On arrivait à la station-service, à mi-chemin du parcours. Arrêt pipi-Coca. J'ai pris Lyne par le bras et on est descendus boire un coup et lui acheter des lunettes de soleil et un chapeau. On a continué le monologue sous un parasol, monologue enfin interrompu par ses premières vraies paroles. Une question : depuis combien de temps j'étais dans le circuit ?

On a repris la route et je lui ai dit excuse-moi, j'aurais dû commencer par là. Mon nom c'est Tello. Deux origines à ce surnom : Tell, du fameux Guillaume, parce que à mes débuts j'étais abonné aux cours de tir à l'arc qu'on file gratos aux marmots des chieurs ; Tello, d'intello, parce que je serais l'érudit des clubs, le créateur déchu. Ça respire la nuance péjorative, Tello, vois-tu, et je la revendique. La quarantaine déclinante, suis entré dans le métier aux beaux jours du Club Med. Je faisais du café-théâtre, j'écrivais des sketches, je suis même passé une fois à la télé, et puis voilà, j'ai pas percé. J'ai vendu ma petite expérience à d'autres clubs, sous divers cieux, et pour finir j'ai choisi la Germanie et le DM. Presque vingt ans d'ancienneté. Bronzé sous le harnais. Dans quelques années ils me jetteront, quand je ne serai plus présentable en maillot de bain. Je m'imagine attendant la retraite dans une radio associative, quelque part entre Auvergne et Poitou-Charentes. Héhé, consolons-nous, hormis quelques jeunes encore pleins de foi, tu ne rencontreras que ça, mignonne, des ratés. La plupart ont écrit un scénario génial dont personne ne veut, un livre de souvenirs qui a fait le tour des éditeurs... Ah ! Ah ! Tiens ! Tiens ! à ce moment-là – scénario, livre, éditeur – elle a haussé les sourcils derrière ses verres fumés. Toi aussi tu écris, t'as rêvé de la scène ? j'ai dit. Non, elle a répondu, sans quitter des yeux le paysage. T'as remarqué l'alternance ? j'ai dit. Une bananeraie, une orangeraie, un hôtel ; une bananeraie, une orangeraie, un hôtel. Autant d'hôtels que de champs, et autant de touristes que de bananes et d'oranges. Ça va aller, Tello, qu'elle m'a dit, te défonce pas, c'est pas la peine, demain j'aurai récupéré. De quoi ? j'ai dit. Du voyage. Un rêve !

Le car a franchi la barrière du camp. Je dis bien « camp ». Pas une coquille d'imprimerie ou un hoquet de Macintosh. L'hôtel et ses annexes – piscines, cuisines, bars, mini-golf, mini-zoo, infirmerie, bureaux, magasins – sont cernés de barbelés. Aux quatre coins, des miradors. En liberté dans l'enceinte, des chiens dressés à ne pas attaquer les toutous, les touristes. A l'entrée principale, une barrière et une guérite et une équipe de gardiens en uniforme et sans uniforme. Les mecs en civil, je pense que ce sont de vrais flics. Aux deux mille estivants, le bureau des admissions de l'hôtel délivre un « passeport » qu'il faut présenter à la chiourme. Le personnel, en plus, est fouillé à l'aller et au retour : à l'aller on craint la grenade, au retour la fauche. Mais sur les deux mille vacanciers, il y a tout juste un petit pour cent qui osent sortir seuls pour aller boire un raki chez Mehmet, le bistrot implanté hors les fortifications. Evidemment, chez Mehmet on paye, alors qu'à l'intérieur on rince à l'œil. Et puis tout ce bordel sécuritaire incruste de mauvaises idées dans leurs méninges ramollo. A une bonne femme qui voulait converser, et qui se plaisait bien au camp, j'ai demandé un jour si ça ne la dérangeait pas, les barbelés. Ah, que non, m'a-t-elle répondu, c'est normal, avec tous les Turcs qu'il y a à l'extérieur.

J'ai conduit Lyne au bureau de l'administration. Elle a rempli les paperasses, pris la clé de sa chambre et loué un compartiment de coffre. Autant dire tout de suite que dans ce coffre, je m'en apercevrai très vite, elle entreposait un magot en fraîche. Je l'ai accompagnée jusqu'à sa piaule dans le quartier du personnel, là où à cause des cars qui font chauffer leur moteur à deux plombes du matin, à cause du disco, des cuisines, des mobylettes des mitrons, des chiens qui aboient après les mobylettes des mitrons et des gardiens qui gueulent après les chiens qui aboient après les mobylettes des mitrons, faudrait être complètement sourdingue pour pouvoir fermer l'œil. Qu'importe, nous autres pauvres animateurs, on dort l'après-midi, au calme. Pendant les heures chaudes, tout ce que pourrait entendre une oreille exercée, c'est le bruissement des héliotropes que les estivants ont dans le trou du cul et qui accompagnent la marche du soleil d'est en ouest et les font rouler du ventre sur le dos et du dos sur le ventre et basculer d'un flanc sur l'autre du matin jusqu'au soir.

Lyne regardait sa piaule comme un détenu doit regarder sa cellule quand le maton l'y pousse en lui balançant son paquetage sur les godasses. Monastique, hein ? j'ai dit. Tu verras, c'est frais comme un tombeau, et on ne s'en plaint pas. Elle a prononcé plusieurs phrases d'affilée, d'un ton monocorde, presque inaudible. Une seconde, j'ai pensé qu'elle se shootait. En Turquie, ce serait le gag. *Midnight Express*, le remake… Je lui ai posé la question de confiance. Elle m'a dit qu'elle n'avait jamais touché au truc. Tant mieux. C'était juste que le puzzle, dans sa tête, quelqu'un l'avait tout mélangé. Ecoute, je lui ai dit, tu m'expliqueras ça un jour si tu en as envie. Pour le moment, tout ce que je te demande, en tant que bille de clown généralissime, c'est au moins de faire semblant de prendre quelque intérêt à la fréquentation de tes semblables, bien que nous soyons fort dissemblables de cette armée d'enfoirés. Elle m'a dit qu'elle était partie euh très vite de Paris, parce que, parce que ça ne me regarde pas, Lyne, et qu'elle avait besoin de petites choses. Je lui ai indiqué les horaires d'ouverture du bureau de change et lui ai recommandé d'acheter le strict nécessaire dans les boutiques de l'hôtel. A l'extérieur, elle trouverait le reste, dix fois moins cher. Je lui ai dit qu'on irait se balader à Sidé et à Alanya. Elle s'est mise à pleurer, oh, juste quelques larmes vite essuyées. Je lui ai dit tu veux que je reste avec toi ? Elle a cru que je lui proposais la botte. Elle a dit excuse-moi, j'ai pas l'esprit à ça, s'il faut que j'y passe, tu serais gentil d'attendre un peu. Holà, pas de méprise, j'ai dit, avec moi tu ne risques rien : je suis plus homo qu'hétéro, et pas vraiment bi non plus. Ça l'a rassérénée. Et, tiens, je me suis dit, tant qu'à parler de cul, je lui ai conseillé la chasteté. Si t'es ici, c'est pas seulement parce que tu sais chanter et danser. Parce que t'es mignonne. Tous les marlous huileux vont te tourner autour. Si tu t'envoies en l'air avec l'un d'eux, il va te coller tout le temps. Allume-les, mais ne cède pas. Pour moi, c'est pareil. On me courtise, je minaude mais ne m'ouvre jamais. T'es un drôle de rigolo, elle a dit. Bon, fallait bien se quitter. J'avais envie de lui parler, lui parler, parler, parler, à cette fille. Sûr que je suis un baratineur, c'est mon métier, mais cette fille-là, elle me troublait. Je crois bien que j'éprouvais quelque chose comme un sentiment paternel. Dors un peu, j'ai conclu. Je viendrai te chercher à six heures. On fera le tour du propriétaire, en attendant l'heure du dîner. Pas la peine de se pointer au restaurant à sept heures. Dès six plombes et demie, ils sont tous rangés derrière la corde, à attendre le coup de pistolet, pour remplir leurs gamelles de profiteroles au chocolat, qu'ils ne boufferont pas. Partout la même chose. J'ai refermé la porte. En descendant l'escalier – sa chambre était au troisième avec vue sur les poubelles des cuisines –, j'ai entendu qu'elle tournait le robinet de la douche. Ça rate jamais : à peine arrivé, on a envie de se laver de toute cette laideur. De s'ôter toute cette chaleur. Je me suis dit : mignonne, faudra attendre fin août et le vent du nord pour respirer un brin d'air vif aux aurores et au crépuscule et te croire un peu chez toi.

J'ai frappé à sa porte vers huit heures moins le quart. Elle m'attendait. Elle s'est étonnée que la nuit soit déjà tombée. N'était pas au courant qu'on avait deux heures d'avance avec notre heure d'été, en France. Etonné, moi je l'ai été. Lyne n'était pas fauchée, comme la plupart d'entre nous, surtout les filles. Elles arrivent sans un et rentrent en France la bourse vide : ce qu'elles touchent suffit tout juste à payer les fringues et les extras. On craque tout. Et de retour au pays on court pointer au chômedu, qu'on palpe, et ça sert à hiberner. Elle, Lyne, s'était carrément payé le tailleur en lin blanc que les jeunes Allemandes reluquaient dans la vitrine de la boutique depuis un mois. Le tailleur plus tout un tas de fringues en vrac sur le pieu. Je n'ai rien dit. J'ai entrevu un mystère, déjà. Les filles friquées ne font pas ce boulot d'esclaves.

En forme ? j'ai dit. Elle avait meilleure mine, bien qu'elle ne fût pas maquillée. Encore une chose étrange. En général, ces filles-là, elles se tartinent le minois. Lyne, c'était le maquillage nature. Petite fille. Qui à peine débarquée se languissait du bocage : sur la commode en aggloméré, pompeusement appelée coiffeuse dans le catalogue du camp, étaient étalés tous les journaux français disponibles en ce lieu de villégiature : *Libération, Le Monde, France-Soir, Le Figaro* et même *L'Equipe.*

Tu t'accroches au cordon qui te relie à la mère patrie ? j'ai dit. Elle m'a demandé si on les recevait tous les jours, ces journaux. Aussi vite qu'en province, cocotte. *Le Monde* qui sort à quatorze heures à Paris, on l'a ici à deux heures du matin, par le premier charter, avant que le type de la Maison de la Presse de Sarlat ou de Manosque n'ait ouvert ses volets. J'ai ajouté : les achète pas, je te les filerai, je les ai à l'œil. Pourquoi ? A cause de mon émission de radio. Ma revue de presse bilingue, dans le style Gildas-de Caunes. Nous autres on ne sait qu'imiter, c'est bien là notre drame. Toi aussi, t'es là pour imiter. Imiter qui ? elle a dit. Allons, il était temps de la mettre à la coule.

On est allés se prendre un raki apéritif au Café du Théâtre. Ce stand de kermesse, avec ses six pompes à bière et ses six pompeurs en chemise blanche au col fatigué, doit son joli nom à la proximité de la fosse aux lions, où tu vas te produire, Lyne, j'ai dit. Regarde…

La plupart des tas de viande avaient fini de dîner, mais cependant le bar était désert, à l'exception de notre poche à bière, probable futur record de la saison, affalé sur un siège, la respiration difficile, le ventre sur les cuisses écartées comme s'il se préparait à accoucher d'une bonne centaine de serpillières mouillées. Où étaient-ils tous ? Dans la fosse. Une idée d'architecte. Osmose de l'ancien et du moderne. N'étions-nous pas dans une région autrefois occupée par les Romains ? A deux pas des monumentales arènes de Sidé, qui s'étendent sur des dizaines d'hectares. Leurs voûtes branlantes sont étayées par des planches et leurs abords sont pollués par les va-et-vient incessants de taxis, de bus et de petits trains promenade, et ses gradins et ses dalles de marbre sont foulés par des dizaines de milliers d'estivants que les marchands du temple alpaguent au passage. En conséquence, passé oblige, le camp se devait d'avoir un cirque pour ses jeux. Les gradins pouvaient contenir mille spectateurs, alors qu'en haute saison, et on était en plein dedans, le club abritait deux mille âmes. Si bien qu'à partir de dix-neuf heures – on servait à dîner dès dix-huit heures trente –, les marches de béton étant occupées, les retardataires traînaient les chaises de la salle et du café, pour les descendre devant et sur les côtés de la scène, et une fois le moindre décimètre carré occupé, les derniers s'installaient là-haut, sur le pourtour aux abords du Café du Théâtre, au poulailler, pourrait-on dire.

Soirée bingo, j'ai dit à Lyne, grossss succès. Le boulot de l'équipe allemande : Hans, avec la belle Ingrid dans le rôle du faire-valoir, tireuse de jetons en bas résille et spencer pigeonnant. Tout ce qu'ils savaient épeler en français, c'étaient les chiffres, au cas où dans la salle, parmi les joueurs, il y aurait des Françouzènes. La fosse résonnait d'une rumeur préwagnérienne : le DJ accordait ses CD, testait ses aigus et ses graves.

Lyne a aimé le raki sec. Méfie-toi des glaçons, je lui ai dit, et ne bouffe que les trucs cuits et chauds. Sinon, tu risques de choper la courante et 40° de fièvre.

La poche à bière ne pouvait plus se remuer. Son lest ventral le clouait sur son siège. S'il avait essayé de se lever, il aurait joué les culbuto. Il claquait des doigts et un garçon lui apportait une bière. Pas deux, le règlement l'interdisait. Une par une. Pourtant, ça aurait été plus simple, de lui en coller une dizaine sur sa table. En aurait-il bu plus ?

« J'ai faim », a dit Lyne, et ça a été ses premières paroles triviales, des vrais mots prononcés par quelqu'un de vivant. Les autres, ceux que je lui avais extirpés jusqu'à présent, étaient tout juste le produit de ses regards interprétés.

« Eh ben, voilà une bonne nouvelle ! Gardons les mauvaises pour le dessert. »

J'ai dû prendre mon air de prestidigitateur qui s'apprête à tirer le lapin du chapeau par les oreilles. Lyne a pâli, si toutefois un masque de plâtre peut pâlir encore.

« Quelles mauvaises nouvelles ?

— Holà ! Je n'ai pas dit catastrophiques ! Allons dîner, ma chère, si vous voulez bien. »

Après le passage de la lame de fond de dix-huit heures trente la salle à manger ressemblait à une place de la mairie un lendemain de 14 juillet en pleine grève des éboueurs.

Les boueux du camp étaient au turf. Les dessertes à roulettes se télescopaient aux carrefours des travées comme des wagons fous dans une gare de triage. Une lumière crue nous tombait dessus, qui nous creusait les traits. Lyne a préféré l'ombre et la fraîcheur de la terrasse, à la limite de la pelouse et de la plage. Là dînaient les hédonistes et les réfractaires : quelques Allemands du dessus du panier et les six Français frais débarqués du matin. Il a fallu qu'on fasse le ménage nous-mêmes : les garçons de service débarrassaient d'abord les tables à la lumière. Dehors, le désordre était moins apparent.

« Bière ou vin ?

— De l'eau, a dit Lyne.

— Bois un peu de vin, ça te fera du bien. Ils ont un petit rosé du pays si léger qu'il te fait gazouiller comme un ange. »

Je suis allé remplir un pichet à la pompe et on a trouvé de quoi se nourrir sur les tables des buffets dévastés.

Tout en picorant, Lyne m'a relancé.

« Alors, ces mauvaises nouvelles ? »

J'ai rigolé.

« La mauvaise nouvelle, c'est qu'ils nous sucent jusqu'au trognon. A Paris, ils t'ont embauchée pour chanter. Ils se sont bien gardés de te dire que moi, en tant que chef des festivités, je suis obligé de te demander tout un tas d'extras. L'Eden Club, c'est le goulag des animateurs. Le matin, à partir de neuf heures, tu es guichetière, de permanence à la vente des excursions : la croisière pirates, Pamukkale, Antalya, la vieille ville d'Alanya, rallye montagnard. Au début, tu vas te marrer. La permanence, c'est le bureau des pleurs. Comme les administratifs, au bureau, font semblant de ne pas comprendre dès que ça les emmerde, les râleurs et les impotents se rabattent sur nous. Veulent changer de piaule, réclament des serviettes propres, du papier cul, le matin de leur arrivée s'inquiètent de l'heure de leur départ, veulent porter plainte parce qu'on leur a piqué leur maillot de bain sur le balcon… Tout l'art consiste à les renvoyer vers la Kommandantur, d'où on te les renverra, mais tu ne seras plus là. Tu seras en train de te taper l'animation du miniclub. Ou les jeux apéro. Relâche de quatorze à dix-sept, nos trois heures de vrai sommeil, et de six à huit, répétitions du spectacle cabaret…

— Le spectacle, quels jours ?

— Les jeudis et dimanches soir.

— Cinq soirées de libres, alors ?

— Nenni, ma Lyne ! Selon les arrivages et les départs, on accompagne les groupes à l'aéroport. Certaines nuits, tu les passes dans le car, à faire des allers-retours. Tu vois le tableau ? Mais de temps en temps il y a des soirées fastes, comme aujourd'hui. Faste pour toi, parce que t'es exemptée de corvées, faste pour moi, parce que je ne suis pas de convoi. Nous avons quartier libre, mignonne. »

Elle s'en foutait. Elle se foutait de tout. Une énorme clameur est montée de la fosse. Lyne a haussé les sourcils.

« Bingo ! Tu veux y aller ? »

Elle a secoué la tête. Je l'ai amenée chez Mehmet, à l'extérieur du camp et à l'abri de la lumière crue. Pas étonnant qu'elle eût la blancheur de l'endive, cette fille : elle ne se plaisait que dans le clair-obscur.

Deux cents pas environ séparaient les lampadaires du portail fortifié des lampions rouges et jaunes du café de Mehmet. Un *no man's land* non éclairé qui leur filait les jetons, aux pensionnaires de l'Eden Club. Ils avaient peur que ne surgisse des oliveraies quelque égorgeur du PKK. Hé, c'est qu'en Allemagne des nazillons brûlaient des Kurdes, alors... Peur des chèvres et de la vache naine de Mehmet ? Peur des cigales et des fourmis ? Peur des sauterelles ? Peur des parfums méditerranéens de la nuit ?

Tant mieux ! Sous la treille et les lampions, on y était tranquille, chez Mehmet. C'était un grand type dans la cinquantaine grisonnante, aux yeux noirs et aux dents formidablement blanches. Il avait longtemps travaillé à Lyon et parlait à peu près français. Aux alentours de ses quarante ans, il était revenu épouser une jeunette, ouvrir ce bistrot et travailler les terres du beau-père, qui jouxtaient celles du club. Le café, il ne l'ouvrait que l'été et n'y faisait pas fortune. Il y avait une grande pergola, en partie couverte d'une toile bleue, adossée à la maison de la ferme où son épouse préparait quelques plats, à la demande, et des tables et des chaises à même la terre battue, et un bar en planches de charpente derrière lequel il officiait, fier de l'alignement de ses bouteilles et de sa sono.

La sono était branchée. Les trois couples de Français nous avaient précédés. N'avaient pas mis longtemps à dénicher le bon endroit, les malins. Ils buvaient de la bière et fumaient en regardant Zübeyde, la fillette de Mehmet, danser en leur honneur. Quel âge pouvait-elle avoir ? Je ne suis pas très fort en la matière. Une dizaine d'années ? Pas encore nubile, sûr. Elle avait un corps et des membres frêles et souples. Sur ses cuisses, qui frémissaient comme des élytres, se balançait son bout de jupe en tissu fin. Elle dansait nu-pieds, et c'était la grâce personnifiée. La mère, le père et la fille affichaient le même sourire ravi. Au premier balancement de hanches de la fillette le trio tombait en extase, tous les soirs et à tous les instants de tous les soirs où se produisait notre danseuse étoile. Souvent j'ai pensé que c'était là le meilleur spectacle à leur offrir, aux poches à bière. Mais ils en auraient pété toutes leurs durits, les vieux pédophiles. Mehmet songeait-il parfois qu'il exposait sa fille à des regards concupiscents ? Et la mère, qui portait le foulard noir des paysannes, croyait-elle que tous les infidèles respectaient l'innocence ?

Télépathie : « Etrange mélange d'innocence et d'érotisme », a murmuré Lyne. Ses mains tremblaient. Un souvenir de jeunesse ? Un père qui lui demandait de danser, aussi ?

On s'était assis à distance des Français, mais Mehmet a voulu nous les présenter. Entre Français, n'est-ce pas, on devait s'aimer. Ma foi, ils n'étaient pas antipathiques, bourges d'allure mais larges d'idées, à ce que j'ai pu en juger. C'était la huitième fois qu'ils venaient en Turquie et ils se marraient d'avoir été piégés dans ce club, sur cette côte dont ils s'étaient toujours méfiés, à juste titre : elle était loin de valoir la côte égéenne, et puis c'était la Germanie. Partout les prix étaient affichés en DM, partout on s'adressait à vous en allemand. Ils auraient aimé changer d'hôtel. Je leur ai dit qu'il ne fallait pas rêver : l'administration du camp les ferait lanterner jusqu'au milieu de leur semaine de séjour, et après ce serait trop tard. Comme ils avaient le sens de l'humour, j'en ai rajouté dans l'horreur et ils sont convenus qu'ils étaient mieux lotis que nous : sept jours à passer à l'usine tandis que moi, quatre mois, et Lyne, deux. Je leur ai donné des adresses de cafés accueillants et de bons restaurants à Alanya, où ils sont partis en taxi, après que Mehmet eut téléphoné à ses potes chauffeurs qui faisaient le pied de grue au bord de la nationale, à un kilomètre de là. On ne les reverrait plus de la semaine, ces Français. Des clients de perdus pour les excursions. Sabotage ! J'étais content de moi. On prend son pied comme on peut. Malgré ça, de leur avoir causé m'a filé le bourdon. Lyne et moi on a éclusé notre demi-litre d'Efes en silence, et j'en ai commandé deux autres. On allait se pinter à la bière, je sentais ça, et se répandre, s'épancher l'un sur l'autre. Lyne me dirait pourquoi elle était sinistre et moi je me décrirais à soixante-dix balais, occupé à arrondir mon minimum vieillesse en trimbalant mon talent en carton bouilli d'arbres de Noël de comités d'entreprise en goûters des enfants des écoles. Déchard, nullard, indubitablement raté.

Par bonheur Messout a surgi du côté des clapiers. « Hello ! Tello ! »

Etonné d'une présence féminine à mes côtés, il a ajouté un « Bonsoir, mademoiselle » incertain. Depuis le temps, il avait deviné mes penchants indécis pour la gent masculine.

« Lyne, ma fille ! j'ai dit.

— Ta fille ? Tu rigoles ? Hé ! tu te fous de ma gueule, Tello ! »

Messout est le rabatteur de Mehmet. Il interpelle les rares passants et tente de les attirer sous la pergola. Petit, trapu, il a dans les trente ans. Un cousin de Mehmet ? Comment le paye-t-il ? En fruits et légumes ? Il s'est assis à notre table mais la femme de Mehmet l'a invectivé. Pressetoi, presse-toi voulaient dire ses mots et ses gestes. Ah, j'ai pigé ! Elle avait entendu le concert de klaxons au croisement de la nationale : le retour triomphal de la Croisière des Cimes ! Mehmet a allumé tous les feux, poussé la sono à fond, et Zübeyde, comme une figurine de boîte à musique, s'est mise à se trémousser. Messout s'est planté au milieu du chemin, mais comme d'habitude il a dû se jeter dans le fossé pour ne pas être culbuté par la noria de 4 × 4 japonais. A genoux dans l'eau boueuse, il a néanmoins adressé des signes d'amitié aux Allobroges. Il gueulait en allemand arrêtez-vous, arrêtez-vous, la bière est fraîche chez Mehmet ! Drapeaux turcs flottant au vent, avertisseurs bloqués, les aventuriers crottés, pour la plupart debout et imperturbables, ont défilé devant nous. Sous les casquettes à visière, les visages des tankistes étaient couverts de sueur et de poussière ocre, le masque des aventuriers. Les succédanés de jeeps avaient défoncé les sentiers, traversé les villages des montagnes, écrasé les poulets, fait avorter les chèvres et tourner le lait des vaches. Un plaisir aussi prodigieux, à trois cents DM la journée, c'était donné.

Les mains sur les hanches, Messout a considéré les feux arrière de la dernière voiture, puis il a haussé les épaules en éclatant de rire.

« Hé, ils s'arrêtent jamais !

— Les cons ! j'ai dit.

— Oui, oui, les cons, Tello ! Tu as raison ! »

Mehmet a réduit les feux, coupé la sono, et Zübeyde a repris sa place sur son tabouret au bar, jambes croisées comme une entraîneuse, devant son verre de Coke.

On s'est de nouveau retrouvés entre nous, dans notre bain de silence bleu nuit, et j'ai pensé que Messout et moi, on était semblables : chaque soir d'été, persuadé d'y parvenir un jour, il essayait d'arrêter la Croisière des Cimes, et moi, à chaque retour à Paris, en automne, je tentais de grappiller quelques secondes de leur précieux temps aux gloires qui se pressaient devant les buffets des coquetailes auxquels je m'invitais. Mais à l'instar de Messout, je me garais bien vite sur le côté et regardais les chenilles des stars m'écraser les souliers, sans grimacer.

J'ai pris la main de Lyne.

« Je crois t'avoir tout dit. T'avoir montré l'essentiel. Tu dois avoir envie de dormir. On reviendra.

— Je resterais bien ici.

— Chez Mehmet ? Toute la nuit ?

— Toute la vie. »

Mehmet a apporté deux autres bouteilles d'Efes.

« Ma tournée, Tello ! »

En versant la bière dans son verre, Lyne m'a adressé son regard d'Ophélie.

« Toi aussi, tu as la sinistrose, a-t-elle dit. Décidément… »

Elle est restée la bouche entrouverte.

« Décidément ?

— J'ai…

— Tu as ? »

Elle allait m'avouer quelque chose.

« Rien. Deux mois.

— Quoi, deux mois ?

— Deux mois à passer avec toi. Peut-être moins.

— Pourquoi moins ? Ho ! Dis ! tu vas pas me laisser tomber en pleine saison ?

— Non, sans doute.

— Qu'est-ce que tu me caches ? T'as un problème ?

— Il se pourrait que je sois obligée de partir avant la fin du contrat. Qu'on vienne me chercher.

— Tu déconnes ? »

Elle a eu un petit rire léger. Mehmet et Messout, près du bar, ont souri de toutes leurs dents.

« C'est à cause de la bière. Elle me rappelle les banlieues grises et les trottoirs gluants, la pluie et les nuages de suie.

— Nostalgie, nostalgie ?

— Sûrement pas. »

Elle a tendu l'oreille.

« Qu'est-ce qu'on entend ?

— Tourne-toi et regarde. »

Au loin, en plein milieu de la marge de maquis que le goudron de la nationale découpe entre la montagne et la mer, des projecteurs multicolores se sont mis à agiter vers le ciel leurs cylindres de lumière qui tournoyaient en grondant des basses aussi sourdes que des tirs de mine à cent lieues sous la croûte terrestre.

« Le Paradise, une boîte de nuit en plein air. En forme d'arènes. On danse dans la fosse. Ecoute. Et observe qu'il est une heure du matin... »

Avec une minute de retard sur celle du Paradise, la sono de la boîte de l'Eden Club a commencé de vomir ses gigadécibels par tous ses extracteurs de fumée. A l'ouest et à l'est – au sud est la mer et au nord sont les montagnes – les flaks d'autres clubs ont pris pour cibles les étoiles. Elles se sont éteintes une à une sous la mitraille des bandes de techno.

Mehmet a levé l'index. Sa femme, sa fillette et Messout ont tendu l'oreille.

« Qu'est-ce qu'ils attendent ?

— Chut ! Ecoute bien, petite Lyne. »

A l'appel des discos, dans son poulailler sous les oliviers, le coq de Mehmet a chanté. Nous avons tous applaudi.

« Il chante la nuit. Et tu verras demain, à partir de midi les chouettes se poseront sur les fils à linge, en face de ta piaule, et ululeront. Elles dorment la nuit et chassent le jour. Ici, c'est le monde à l'envers.

— Une espèce d'enfer, non ? »

Songeuse, puis mélancolique, presque brisée, elle a dit ce à quoi elle pensait avec tant de force : « J'ai vécu un moment dans un endroit qui s'appelait le marais de l'enfer. Le Yeun, un mot breton. Et pourtant, ça ressemblait plutôt au paradis. Tout est vraiment à l'envers, autour de moi.

— Tu es crevée. Partons. »

On a salué Mehmet et sa famille, Messout m'a donné l'accolade – j'ai l'impression qu'on est du même bord – et on s'est enfoncés dans la nuit, où les insectes s'étaient tus. Lyne a pris mon bras.

« Tello ? »

Je l'ai charriée : « Parlez, ma fille, n'ayez crainte.

— Puisque… tu n'aimes pas les filles, est-ce que ça te dérangerait… de dormir avec moi ? »

Ça m'a secoué. J'ai répondu une connerie : « A condition que tu n'essaies pas de me violer. »

Les gardes étaient de bonne humeur.

« *Ausweis, bitte ! Ausweis, bitte !*

— Connards, branquignols, enculés », je leur ai dit en leur assenant des claques dans le dos.

Sur le parking près de nos chambres des porteurs chargeaient des valises dans deux cars dont les moteurs chauffaient. Un chien nous a fait un brin de conduite. C'était un bâtard de berger allemand et de grand chien courant qui avait la manie de vous mordiller le poignet. Voleur de montres ?

On a croisé les boulangers qui se dirigeaient vers leurs fournils. Dans le couloir de notre immeuble, deux serveurs turcs étaient occupés à peloter deux jeunes Allemandes bien en chair.

La chambre de Lyne était au troisième. Elle a ôté sa veste et sa jupe sans tirer le rideau.

« Méfie-toi, je lui ai dit, la nuit les voyeurs veillent. »

Et je lui ai montré, de l'autre côté sur les balcons, des ombres assises, jumelles vissées sur les yeux.

Elle a enlevé son soutien-gorge et s'est légèrement massé les seins.

« Qu'ils se rincent l'œil. »

Elle a gardé sa petite culotte et on s'est allongés. Elle s'est endormie aussitôt, et moi, jusqu'à l'aube, j'ai écouté les chiens aboyer après les motos et les gardes aboyer après les chiens qui aboyaient après les motos, tout ça sur fond de disco et de moteurs de car qu'on embraye, de chants à boire allemands et de cris de femelles envenimées par leurs chaleurs.

La nouba nocturne battait son plein et moi je battais la semelle. Je flottais, gonflé à l'hélium, exactement comme si j'avais fumé trop de joints, et j'éructais par le nombril un long jet d'images absurdes : je marchais sur la tête et sur le ressort de mes bras retournés comme des pieds de marmite j'effectuais des bonds de kangourou dans un désert de silence écumeux.

J'étais nulle part, j'avais déjanté. Une journée passée près d'elle et cette fille m'avait rendu barjot. Il y avait déjà un avant Lyne, et déjà j'avais peur de l'après. Je n'ai pas pu m'empêcher de la toucher. J'ai posé ma main sur son pubis, et dans son sommeil elle a légèrement ouvert les jambes et posé sa main sur la mienne.

J'ai eu l'impression de commettre un geste incestueux.

A présent, je vais essayer de raconter à peu près dans l'ordre les étapes qui ont mené à la révélation.

Je me suis levé à l'heure où les discos à ciel ouvert sont prises d'extinction de voix. A la même heure, en se levant pour aller aux champs, Mehmet rallume sa sono et remet toute la gomme, histoire d'enquiquiner les gardiens qui sommeillent dans leurs guérites. Lyne dormait à poings fermés. Qu'elle se repose, qu'elle profite de mon bon cœur : j'assurerais seul la permanence au bureau des excursions.

Entre six et huit s'écoulaient deux heures pendant lesquelles l'air du camp était presque respirable. Avec un zeste d'imagination spleenétique et une bonne dose de jobardise, on pouvait se croire au jardin du Luxembourg par un beau matin d'août. Les jardiniers œuvraient nonchalamment. L'air sentait la poussière roulée en billes par les jets d'eau, le café qui bouillait dans d'énormes bailles, la brioche fraîche et le bacon grillé. Par opposition au vacarme de la nuit, la rumeur du bâtiment qui appareillait pour une nouvelle journée de libations était une forme de silence. Le tintement des pots en métal, le grincement des roulettes des dessertes dans la salle à manger et les joyeuses plaisanteries des cuistots vous caressaient les tympans et la cervelle comme un baume.

J'ai pris mon paquet de journaux dans mon casier à la réception et je suis entré dans la salle à manger. Vide, elle semblait aussi vaste et aussi haute qu'une centaine de gymnases accolés en enfilade. J'ai rempli mon plateau de pain, de yaourt, de fromage, de jambon, et me suis servi deux verres de jus d'orange et trois tasses de thé pour n'avoir pas à revenir aux fontaines. Je me suis installé à l'extérieur, à l'abri du soleil levant, le dos au nord et le visage tourné vers le sud, la plage et la mer. Quelques lève-tôt batifolaient dans les vagues. Le bodrum sous contrat avec l'hôtel traçait sa route d'Alanya au ponton de la plage d'où il embarquerait son quota de touristes vers dix heures.

Crayon feutre en main pour souligner les âneries susceptibles d'amuser le peuple, j'ai entrepris de dépouiller la presse française et allemande. Rien de très sérieux dans cet ouvrage : faut pas oublier que l'auditeur est en vacances, faut censurer les mauvaises nouvelles, sauf si elles ont un caractère de grande catastrophe très lointaine. Réjoui d'entendre qu'il a échappé au naufrage d'un car-ferry indonésien qui a fait huit cents victimes, le vacancier se vautre encore plus à son aise dans son bonheur du jour. Tremblement de terre au Japon ? Dix mille morts ? Bouffons et buvons le double aujourd'hui, avant que ça nous arrive. *Carpe diem.* Au besoin, j'invente. Le faux doit être crédible, au moins pendant quelques secondes, de manière à produire ensuite un sentiment de soulagement subséquent. Par exemple, j'annonce : « Krach à l'ouverture de la bourse de Francfort, le DM baisse de 9,32 %. » La foule avachie est prise d'un début de panique qui en jette quelques-uns, des plus émotifs, à bas de leurs transats. Je stoppe net la ruée vers les coffres et le bureau de change en enchaînant : « ... mais remonte de 9,33 % à la clôture. » Ah ! Ah ! Ah ! J'ai une bande de rires enregistrés et des inepties, j'en ai tout un répertoire. Une bonne cinquantaine du style : Helmut Kohl divorce pour épouser Madonna, lady Di enceinte de Bill Clinton, etc. Le plus duraille est de les diffuser en fonction du renouvellement du stock d'auditeurs au fil des arrivées et des départs. Faire en sorte que les mêmes ne les entendent pas deux fois. Prévoir un roulement.

D'ordinaire, lue dès potron-minet, la presse entretenait en moi l'illusion de cette solitude qu'on ressent caché derrière son journal et elle me procurait le plaisir certain d'effilocher les jours en attendant le retour à Paris. Mais ce matin-là je manquais de gaieté, d'allant, d'ardeur à la tâche. L'effet Lyne. Elle m'avait contaminé, sans que je sache exactement quel virus elle m'avait refilé. Si : par son silence, elle m'avait fait prendre conscience de ma propre inanité. Le laser de ses yeux bleus avait découpé des brèches dans mon cynisme. Mon scaphandre n'était plus étanche.

J'ai décidé de vivre sur mes acquis : j'improviserais ma revue de presse. N'importe comment, seul un débutant crédule se serait mépris sur l'attention de l'auditoire. Ma douce voix n'était qu'un bruit de fond, qu'un pipeau parmi les cuivres de l'orchestre, qu'une note de plus dans la cacophonie. Surtout quand je parlais français. Pourtant, au sujet du bilinguisme, mes instructions étaient claires : qu'il y ait ou non des Français internés, je devais décliner mon boniment dans les deux langues. Ouïr la langue de Molière procurait aux Teutons, paraît-il, un supplément d'exotisme ainsi que, au dire des experts en marketing, un indicible frisson de péché, l'esprit français étant toujours associé à un relent de mœurs dissolues et de comportements décadents.

Le frisson, c'est moi qui l'ai eu en lisant la une de *France-Soir* : Double meurtre rue de l'Université. Ce producteur défunt, je le connaissais. Il en avait plumé plus d'une et plus d'un. Et il avait propulsé quelques-unes au sommet. Un vérolé. Un sale truc comme ça devait lui arriver un jour. Le mystère, bien sûr, c'était l'autre macchabée. On venait de découvrir les corps, de cette seconde victime on ignorait tout, aussi l'article insistait-il sur le pedigree de Jacques Craube. Un ajout – l'information avait dû tomber peu avant le bouclage – laissait entendre que la police recherchait une fille, éventuel témoin numéro un.

Dans *Le Monde* il n'y avait encore rien.

Plongé dans ma lecture, je n'avais ni vu ni entendu les meutes arriver et se précipiter sur les buffets pour se disputer les brioches. J'ai fendu la foule en songeant à Craube.

Une queue s'était déjà formée devant ma table de vendeur de croisières de rêve et d'excursions mémorables. J'ai ralenti le pas, suis descendu aux toilettes dans les sous-sols de la disco. Non que j'aie eu envie de pisser. C'était seulement pour retarder le moment où il me faudrait compter et rendre la monnaie en DM. Et pour prendre le temps d'encaisser la mort du pourri.

Craube… Combien d'années ? Sept, huit ans qu'on avait été plusieurs minables dans mon genre à signer avec lui ? Il avait gagné un max sur une gazelle, comme il disait, et avant la fin de l'exercice fiscal avait du pognon à croquer. Il avait jeté ses plaques au hasard sur quelques bourrins inconnus. Le soir de Noël, j'étais passé sur *Antenne 2*, trois minutes, le temps d'un sketch et de me ramasser. Monsieur Jacques m'avait conseillé de retourner dans mes cafés de Montmartre. Juste bon à amuser les Japonais. Et mon contrat ? j'avais dit. Il avait répondu d'habitude je les garde, au cas où, mais le tien, même pas bon à emballer la morue avariée. Déchiré. J'en avais signé un autre, avec les clubs et les camps de vacances.

Je me suis lavé les mains. Remonté à la surface, je suis allé au coffre chercher ma caissette de pépètes allemandes et de ticksons. Je me suis assis à ma table. Une quadra style femme d'officier a tapoté sa montre sous mon nez. Je lui ai montré mon poignet : pas de montre. Le bureau ne vous fournit pas de montre ? elle a dit sur un ton qui signifiait que la chose était parfaitement inconcevable. Je lui ai répondu que je l'avais jetée à l'eau et que ma montre – j'ai levé les bras au ciel – c'était le soleil. Et j'ai marmonné en français : va te faire cuire, rascasse. Rascasse ? elle a dit, qu'est-ce que c'est « rascasse » ? Un poisson. Va te faire cuire, la vieille ! Avec un sourire figé, j'ai vendu mon lot d'activités ludiques. Le lendemain était le jour de la croisière pirates, et la question qui revenait le plus souvent sur le tapis concernait les commodités : y avait-il des toilettes à bord du bateau ? Des toilettes et de nombreuses escales baignades-pipi-caca, chers diarrhéiques. Certains îlots étaient couverts de fientes qui n'étaient pas d'oiseaux.

Mais pourquoi me tarabustent-ils la mémoire, ces empaffés ? J'arrête. Je ne parlerai plus d'eux. Ils me la filent, la courante.

Parlons de Lyne.

Elle m'a rejoint au bord de la piscine, pendant ma revue de presse. De mon studio bricolé – un pupitre, deux platines –, coincé à ciel ouvert entre la douche et un placard à balais, je l'ai vue venir vers moi, pas incertain, peau blanche, robe mini, lunettes noires et chapeau de paille sur ses cheveux blonds. Sans cesser de dégoiser, je lui ai fait signe de s'asseoir en face de moi. Les journaux étaient étalés sur une tablette. *France-Soir* et sa une : le double meurtre de la rue de l'Université. Elle a lu l'article d'un bout à l'autre, a reposé *France-Soir*, a feuilleté *Le Monde*, a repris *France-Soir*. J'ai clos mon émission et je lui ai dit : « T'as lu ? Je connaissais le type.

— Quel type ?

— Le producteur.

— Ah ?

— Drôle d'histoire, hein ?

— Tu le connaissais comment ?

— J'ai frôlé la gloire, naguère ! Je te raconterai. »

On s'est farci les jeux apéro sur les marches de la salle à manger, après quoi on est allés déjeuner en terrasse. Au milieu de la faune en maillot de bain, de tous ces corps dont la plupart, malgré ce que j'ai dit des poches à bière, avaient, avouons-le, la beauté sculpturale des gens du Nord sportifs et férus de diététique, les filles surtout, des canons par dizaines, au milieu de cette santé en mouvement on avait l'air malsain, nous deux. Lyne à cause de sa blancheur craintive et de ses lèvres exsangues, et moi par contamination. En sa présence, une espèce de fatigue morale m'envahissait, pas désagréable au demeurant, le genre de sentiment qui vous coupe les jambes et vous donne à la fois l'envie de relire les philosophes, la Bible, le Coran, Proust, Céline, Carson McCullers et Raymond Carver. Vous vous sentez capable de saisir l'insaisissable, d'exprimer l'inexprimable, le génie venu à terme cogne des pieds à l'intérieur de votre crâne et vous vous figurez qu'en poussant bien fort comme une parturiente vous accoucherez de vos splendeurs idéales, mais en même temps d'un coup de masse vous abat la certitude qu'aucun foret ne parviendra jamais à percer l'os et que jamais ne jailliront les mots. Entre les deux états se situe la zone intermédiaire de la méditation floue. Il faudrait pouvoir couver ses œufs qui jamais n'écloront sur cette paille confortable. N'être rien, vivre sur son nuage est beaucoup plus cosy qu'arpenter les territoires étrangers. J'étais fichu : Lyne m'attirait dans ses brumes. C'en était fini de mon petit confort intellectuel. La preuve : elle me tourneboulait les idées. Je me suis demandé comment elle me voyait, moi. Un has been, un vieux ridé, une roue de secours, un guide, un père putatif ? Alors que je ne désirais rien tant que plonger pour arracher des statues aux entrailles des trirèmes, à défaut d'être capable de les modeler soi-même.

Lyne, j'ai pensé, était une fille dangereuse : regarder un simple rocher en sa compagnie et c'était embrasser le temps sidéral et ouvrir les yeux sur la face cachée de votre pierre tombale.

Aujourd'hui, avec le recul et la connaissance de la vérité, il est facile de se glorifier d'états d'âme féconds. Tout comme il est facile d'écrire : elle a avalé d'un trait l'article dans *France-Soir*, comme on avale du poison. Elle a grimacé, en a repris une gorgée, mine de rien. Mais ses lèvres tremblaient et elle n'a pas pu blêmir puisqu'elle était déjà blanche comme un linge.

Est-ce vrai ? Ai-je vraiment vu ses lèvres trembler ? Oui. J'en suis persuadé. Mais ce serait mentir que d'affirmer que je me suis approché de la vérité. Je ne suis pas devin.

C'est Lyne elle-même qui m'a petit à petit mené à Eva.

Au lieu de faire la sieste, elle a voulu se baigner, enduite de crème solaire comme une otarie de mucus. Alors, moi aussi je me suis baigné dans la mer, ce qui ne m'était pas arrivé depuis trois semaines, un comble quand la nature et votre employeur mettent à votre disposition une eau à trente et quelques degrés. Elle nageait gentiment, Lyne, bien concentrée sur ses mouvements. Elle avait peur de l'eau. On a rôti sur la plage pendant une heure, tout en regardant des types faire du parachute ascensionnel et du canot volant – un dinghy en caoutchouc équipé d'un moteur d'ULM. Ensuite, on a pris une douche et un café et vers cinq heures on s'est mis sérieusement au boulot, à l'intérieur de la disco. Sur la scène des arènes, il était impossible de répéter : les bovins désœuvrés aussitôt s'agglutinaient autour de la fosse et le soir du spectacle avaient l'impression qu'on leur servait du réchauffé. J'ai expliqué à Lyne ce que nos patrons attendaient d'elle.

« Te bile pas, tout est chiadé, rodé au quart de poil. Une agence artistique vend le package : airs, costumes, jeux de scène. Tout ce qu'on a à faire, c'est reproduire. Tu pourrais être muette que ça n'aurait aucune importance. Tout est en playback. Regarde. »

J'ai mis une cassette dans le magnétoscope.

« C'est la bande type tournée par l'agence. Imprègne-toi, et tu me diras s'il y a un truc qui te pose problème. »

Je suis allé chercher la costumière et la retoucheuse turques. La soirée cabaret, je la connaissais par cœur.

Liza Minnelli chante *New York, New York*. Lyne en bas résille noirs, spencer rouge et chapeau claque, chante et danse en jouant de sa canne. L'équipe allemande, en costume blanc, gilet rayé et canotier, l'accompagne. Décor gratte-ciel.

Marlene Dietrich chante *Lili Marlene*. Lyne garde ses bas noirs, enlève son spencer, balance son chapeau, change de chaussures et de perruque. Décor caserne. Dans la pénombre, appuyé à un lampadaire, Hans, vêtu d'une longue capote et coiffé d'un képi, fume et fait des ronds de fumée.

Marilyn Monroe chante *My Heart Belongs to Daddy*. Lyne garde ses bas noirs, enfile un pull bleu layette, change de chaussures et de perruque, le lampadaire est dépouillé de son luminaire et devient simple poteau autour duquel Marilyn-Lyne s'entortille. En marcel et jean crasseux, la tête et les biscoteaux vaporisés d'eau d'Evian pour simuler la sueur, Hans joue à la Marlon Brando un méchant qui dispute la belle à un timide Montand-M. Clément, moi-même en l'occurrence.

Judy Garland chante *Somewhere Over The Rainbow*. Lyne porte des souliers plats, socquettes blanches, sage jupette et perruque à couettes. Décor pastoral Deep South. Jeux de lumières, arc-en-ciel.

Enfin, Edith Piaf chante *L'homme à la moto*. Lyne garde ses souliers plats, met des socquettes noires, petite robe noire. Décor bistrot à voyous. Les voyous, sur de grosses motos : Hans, Peter et moi, blousonnés et casqués fifties. A la fin, les motos démarrent, Lyne-Piaf saute sur le tansad de Hans et tout le monde quitte la scène dans un énorme vrombissement.

Juste un mot des interludes : histoires grivoises racontées en allemand par Hans ; saynètes du style : de derrière le rideau baissé parviennent comme un bruit de tapis qu'on traîne sur le sol, puis des soupirs, des grognements, les ahans à deux voix d'un coït titanesque, et enfin, tandis que retentissent des cris de soulagement, le rideau se lève : époumonés, Hans (en pyjama) et Greta (en nuisette) ont achevé de gonfler un énorme matelas pneumatique. Ils saluent, le rideau retombe. Et n'oublions pas l'inévitable danse du ventre et ses séquences obligées : les gros billets que les gros cons glissent entre les gros lolos de la fille, et le choix, par ladite fille, d'un touriste en short qu'elle allonge sur le dos et fait bander en le chevauchant sous les éclairs d'un flash actionné par une épouse échauffée par une lubricité dont elle saura plus tard tirer les conjugaux bienfaits.

J'ai donné un livret à Lyne. Qu'elle apprenne les paroles des chansons par cœur. Y avait-il quelque chose qui l'ennuyait ? Une difficulté technique ? Non.

Elle mentait. Aux essayages de ses tenues de scène, elle a dit : « Il faut vraiment que je mette ça ? »

Ça : les perruques corbeau. Elle les considérait avec répulsion.

La nuit, on s'est tapé deux convois : un retour de vacances dans la joie et une transhumance dans une bénéfique hébétude, le nouveau troupeau étant assommé de fatigue. On a pu dormir dans le car entre Antalya et Alanya. Les yeux cernés, nos impétrants ont rejoint leurs cellules. Le jour se levait.

« Allons prendre notre petit déjeuner », m'a dit Lyne.

Je lui avais décrit le thé et les brioches sous la treille et dans la fraîcheur des pelouses arrosées comme le meilleur moment du jour – les meilleurs moments de la nuit, c'était Mehmet qui nous les offrait. Bien qu'il n'y eût rien d'étonnant à ce qu'elle veuille partager cette humble jouissance, j'ai eu l'impression d'être transformé en chien d'aveugle dont le maître est effrayé par le bruit de la circulation. Obligé de tirer sur la laisse au feu rouge, il devient nerveux.

J'ai eu un pincement au cœur quand elle a dit, en traversant la galerie marchande : « Tes journaux, à quelle heure tu les as ?

— A l'heure qu'il est, ma Lyne. »

On est passés les prendre dans mon casier à la réception et on s'est installés à table, face à la mer. J'ai posé le paquet de journaux ficelés entre nous. Elle jetait des coups d'œil en loucedé sur les bribes de titres. A notre deuxième tasse de thé, n'y tenant plus, elle a dit : « Tu permets ? »

J'ai pris *L'Equipe*, elle a pris *Le Monde* et *France-Soir*. Pas sorcier de deviner ce qui l'intéressait.

« Alors, ils ont arrêté la fille ? j'ai dit.

— Quelle fille ?

— L'auteur du double meurtre de la rue de l'Université.

— Ah ? Je ne sais pas. Attends. Non... Je ne crois pas.

— Hier, je t'ai dit que je connaissais ce type.

— Quel type ?

— Le vieux. Le producteur. Il m'a produit, dans le temps. »

Je lui ai raconté mes trois minutes de gloire télévisuelle.

« Un salopard... T'as fini de lire ? »

Il y avait un max d'informations nouvelles. On nous apprenait tout d'abord que la fille recherchée avait enregistré une chanson quelques heures avant le meurtre. Elle était nommée : Eva Stella. Elle était décrite : brune aux yeux bruns. Elle s'était volatilisée. L'autre, le jeune trucidé, était son petit ami. Un Breton, auteur du texte de la chanson. On nous apprenait ensuite, grâce au témoignage spontané d'un certain Albert Mireuil, un associé de Craube, comment ils avaient découvert Eva et son poète dans la cambrousse et comment ils étaient convenus d'enregistrer. Le premier hôtel, la piaule rue des Archives, la ferme, le Modern Dancing : les flics avaient toutes les cartes en main, sauf une : l'état civil d'Eva Stella, qui ne s'appelait pas Eva Stella.

Le mystère autour de la fille s'épaississait quand on songeait, avec les journalistes et les flics, qu'elle semblait s'être arrangée pour qu'aucune trace de sa véritable identité ne subsiste sur son passage. Au Modern Dancing, elle travaillait au noir. Pas d'inscription à la Sécu, ni de compte bancaire, rien.

Quant aux mobiles du double meurtre… La fille avait signé un contrat avec une société qui n'était pas des moindres, un tas de rendez-vous promotionnels avaient été prévus, bref, l'avenir lui souriait… Alors ? Une discussion qui avait mal tourné ? Quelle discussion ? Et pourquoi avoir tué son poète, avec qui elle vivait depuis des mois, et qu'elle aimait, selon toutes les apparences ?

Un quatrième larron ? Qui aurait enlevé et liquidé la fille ? Balancé son corps dans la Seine ? Et l'arme du crime itou ?

L'autopsie des victimes et les expertises balistiques étaient en cours.

Claudia la veuve déclarait : « En accord avec le conseil d'administration de notre société de production j'ai décidé, après que toutes les précautions juridiques qu'exigent les circonstances auront été prises, d'offrir au public *L'allumeuse d'étoiles*, cette chanson qui aura été l'ultime découverte de mon mari, Jacques Craube, dont la mémoire sera ainsi honorée. »

« Les vaches, ils vont se faire un paquet de pognon, j'ai dit.

— Avec quoi ?

— La chanson. Si elle est bonne.

— Ça te passionne ?

— C'est l'énigme criminelle de notre fin de siècle, ma Lyne. »

Elle a haussé les épaules, plié les journaux et chaussé ses lunettes noires.

« Une histoire de fesses, probablement. A moins que ce ne soit une histoire d'amour...

— Rien ne te branche, hein ? Ou bien tu fais semblant ?

— Semblant de quoi ?

— D'avoir éteint toutes les lumières autour de toi. »

Ses lèvres se sont crispées.

« Pourquoi tu dis ça, éteindre les lumières ? Quelles lumières ?

— Ho ! Pas de drame ! J'ai dit ça comme ça !

— Evite, à l'avenir... »

Elle s'est levée, je l'ai attrapée par le poignet.

« Lâche-moi, Tello.

— Je ne peux pas, ma belle. Le programme est chargé : vente de ticksons aux excursionnistes, tir à l'arc, jeux apéro, répétitions, convoi à vingt-deux heures.

— On sera de retour vers minuit ?

— A peu près.

— Parfait ! On ira s'enivrer chez Mehmet.

— Si tu veux. D'accord. Mais au raki. Le raki ne donne pas la gueule de bois. N'oublie pas que demain soir tu descends dans la fosse.

— Comme sainte Blandine.

— Rigolo, j'ai dit.

— Toutes les lumières ne sont pas éteintes, Tello.

— Tant mieux. »

Le lendemain matin, sous la légende *L'allumeuse d'étoiles* en gros caractères, il y avait le portrait-robot d'Eva à la une de *France-Soir*.

Je ne me vanterai pas de l'avoir reconnue tout de suite. Un petit quelque chose m'a donné des grattouillis dans la tête. L'allure générale. Pourtant, les yeux... Les yeux étaient noirs, les siens étaient d'un bleu presque transparent. J'ai pensé à des lentilles. Je me suis demandé si une fille aux yeux bleus qui porte des lentilles brunes voit tout en sombre, comme à travers des verres solaires.

Comme promis, on s'était soûlés. On avait dansé avec Zübeyde et à l'aube Lyne s'était fourrée au lit. J'étais seul sous la treille, au petit déjeuner. Après avoir feuilleté *Le Monde* – pas de portrait-robot – j'ai foncé à la boutique rafler les deux autres exemplaires de *France-Soir*. J'ai découpé les portraits-robots et flanqué les journaux dans la poubelle des cuisines où ils seraient vite noyés sous les déchets, brioches grignotées, rognures de fromage et gras de jambon.

Pourquoi cette précaution ? Est-ce à dire que j'étais certain que Lyne fût Eva ? Non. Est-ce à dire que je craignais que quelqu'un ne reconnaisse Eva en Lyne portant perruque brune ? Peut-être. J'avoue n'avoir pas réfléchi à ça. J'ai agi instinctivement. Plus tard, j'ai pensé que je ne pourrais empêcher qu'un touriste voie ce portrait-robot. Je ne pouvais pas faire le tour des boutiques le long de la côte, d'Antalya à Alanya. Forcément, il tomberait sous les yeux de quelqu'un, ce portrait-robot. Mais il n'y avait pas une chance sur un million que ce quelqu'un, client d'un hôtel parmi quelques centaines, vienne au camp et assiste par hasard au spectacle. Et à supposer qu'il y assiste, encore faudrait-il qu'il fasse le rapprochement. Par ailleurs, l'idée ne m'a pas effleuré que le portrait avait pu être publié dans des journaux anglais, allemands, belges, hollandais, danois, etc. C'est dire que mes coups de ciseaux tenaient plus du pressentiment à confirmer que d'un souci de protection rapprochée.

« Protection » : les mots qui vous viennent sous la plume vous mettent à poil. A l'évidence, je pensais déjà à la protéger, Lyne, alors que je n'étais sûr de rien.

Le soir, lorsqu'elle est entrée en scène avec sur la tête la perruque brune à la Liza Minnelli, j'ai pensé que j'avais eu raison. Lyne était probablement Eva.

La scène semblait la transformer. On avait répété seulement trois fois et pourtant on aurait dit qu'elle n'avait fait que ça depuis sa naissance, ce play-back machinal, expédié comme une formalité, sans vibrer le moins du monde – vibrer ou non n'a aucune importance, face à ce public-là.

Elle a été très applaudie. On est allés arroser son succès chez Mehmet. Les applaudissements, les coups de sifflets enthousiastes, ça procure toujours une once de plaisir, même à quelqu'un de conscient que ces bœufs estivaliers applaudiraient les tueurs de l'abattoir avant de recevoir le coup de merlin.

Mehmet et Messoud s'activaient à servir une bande d'Allemands. Par hasard, ou bien parce qu'ils étaient moins cons que la moyenne, ces pensionnaires avaient découvert notre havre de paix. Ils polluaient notre air poétique. La danse du ventre de Zübeyde perdait de son charme. Deux types sont venus saluer Lyne et la féliciter. Ils l'ont invitée à danser. Elle a refusé. Etonnant comme la masse se figure qu'une chanteuse est une espèce de fille publique. Qu'est-ce qu'ils croient ? Qu'elle baise mieux que leurs copines ? Les types ont insisté. Elle les a rembarrés. J'ai été soulagé. Vexés, les types se sont renfrognés. Malgré la pointe de jalousie qui me taraudait les tripes à les voir tourner autour de Lyne, je leur ai léché les bottes. J'ai dit qu'il fallait lui pardonner, qu'elle était fatiguée, etc. Fallait qu'ils soient contents de nous, les enfoirés, qu'ils n'écrivent pas de dégueulasseries sur l'imprimé à renvoyer au High Office. Je tenais à mon boulot. Je comptais bien revenir l'année prochaine. Je m'en suis voulu, de ma lâcheté.

On a pris deux Efes et on est partis les siroter dans le *no man's land*, sous les oliviers et dans l'obscurité. Au loin, la flak de la disco géante flinguait les étoiles. Au-dessus de nos têtes, des passereaux noctambules sautaient de branche en branche.

« Tu es vraiment homo, Tello ? m'a demandé Lyne.

— Grave question. J'ai connu des filles. Au sens biblique.

— Et des garçons.

— J'ai accordé quelques faveurs.

— Alors ?

— Je suis dans l'entre-deux. Un doute qu'entretient la sémantique.

— Qu'est-ce que c'est ?

— Quelque chose comme le sens caché du langage. As-tu remarqué que les mots qui désignent l'intimité féminine sont du genre masculin ? Con, vagin, utérus, clitoris...

— Tu es complètement barge, Tello.

— Et l'inverse n'est pas moins vrai. L'appareil masculin est du genre féminin : verge, couilles...

— Arrête !

— C'est troublant, non ? L'expression de la bisexualité originelle. Eve fabriquée avec une côte d'Adam. »

En riant doucement, elle a incliné sa tête sur mon épaule.

« Je suis Eve. Promets-moi de ne pas essayer de me sauter, Adam.

— Je crois que je possède un dramatique fond de pureté dans mon corps de vieillard.

— Tu as combien ? Quarante ?

— Presque cinquante.

— C'est beau d'avoir réussi à ne pas couler pendant tout ce temps-là.

— Et toi, tu surnages dans quoi ?

— Je coule à pic.

— J'ai bien vu. »

Vivement, elle s'est redressée.

« Comment ça ?

— Ecoute, Lyne, tu as l'air de débarquer d'une autre planète.

— Laquelle ? a-t-elle dit en inclinant la tête en arrière. Il y a des milliards d'étoiles. »

J'ai hésité à dire : « Et une allumeuse d'étoiles. » Je ne l'ai pas dit. C'eût été trop brutal. De mes deux craintes antagonistes, laquelle était la plus grande ? Qu'elle m'eût répondu : « Ah, tu as deviné ? Oui, c'est moi qui ai tué ces deux types, rue de l'Université » ? Ou bien au contraire qu'elle eût éclaté de rire – « Quoi ? Tu as pensé que ? » – et qu'elle m'eût servi un alibi en béton qui aurait détruit cette intuition qui me plaisait tant ? La seconde appréhension était la plus forte : oui, aujourd'hui je n'en doute plus, j'espérais de toutes mes forces que Lyne fût Eva. Obligée de se cacher, elle m'appartiendrait, *ad vitam aeternam*.

Le train-train s'est installé, tel que je l'ai déjà décrit. Les cars enlevaient des chargements de bronzés, déchargeaient de nouvelles cargaisons de clubistes. Ces gens qui se croisaient sous nos yeux avaient moins de consistance que les automobiles pour un flic qui règle la circulation à un carrefour. Je n'ai pas emmené Lyne visiter les environs. Elle ne le souhaitait pas et je n'en avais pas envie. Nous vivions sur une île et les cars de grand tourisme des convois étaient nos car-ferries. Nous nous contentions de toucher le port – l'aéroport – et aussitôt après nous quittions la Grande Terre, reprenions la mer et échouions de nouveau sur le rivage du camp. Nos heures de loisirs se résumaient à nos méditations chez Mehmet, ou au sein de son oliveraie obscure. A l'aube, parfois, Lyne s'endormait dans mes bras.

Le portrait-robot n'a pas été publié une seconde fois. L'affaire a été reléguée dans les pages intérieures, la taille des articles s'est rétrécie comme peau de chagrin, et puis le double meurtre a fini par être avalé et digéré par l'actualité, comme une goutte d'eau qui s'évapore sur un moteur brûlant.

Le dernier article d'importance, c'est *Le Monde* qui l'a publié. Un envoyé spécial avait enquêté sur la personnalité de l'auteur des paroles de la chanson enregistrée, supposant que c'était là que se cachait la clé du mystère. Le journaliste avait arpenté les monts d'Arrée du Finistère, interrogé les paysans voisins de la ferme, le patron du Modern Dancing, une tante Emilienne, des camarades de lycée, des clients de la boîte. Arpenté et interrogé en vain, en ce qui concernait la meurtrière : Eva n'était qu'Eva, elle ne pouvait être baptisée d'aucun autre nom, et son physique était celui du portrait-robot, là-dessus tous étaient d'accord. Quant au poète, qui portait un drôle de prénom, Roparz, les témoins le décrivaient comme un type tourmenté au psychisme chargé d'un lourd fardeau : un père pendu, une vieille maman nymphomane, et la solitude au milieu d'un marais réputé maléfique.

J'allais relire l'article lorsque j'ai aperçu Lyne devant les samovars qui dégorgeaient automatiquement leur eau chaude sur les feuilles de thé. Elle penchait la tête comme une pécheresse qui reçoit sa pénitence. Sa silhouette avait l'air coupable. Alors, en filigrane dans la trame du papier journal s'est dessiné le portrait du poète assassiné et ce portrait correspondait trait pour trait au visage de l'homme qu'on s'attendait à voir auprès de Lyne.

Elle s'est assise à côté de moi, face à la mer que le vent d'est balayait depuis plusieurs jours d'un long souffle continu, faisant claquer le drapeau rouge du danger, au grand dam des plagistes qui ne louaient plus ni pédalos, ni planches à voile, ni parachutes ascensionnels.

« Je vais reprendre une tasse de thé... »

Je me suis levé en laissant *Le Monde* ouvert à la bonne page. Dissimulé derrière les samovars, je l'ai observée.

Elle lisait et ses épaules s'affaissaient. Eva ôtait sa perruque et ses lentilles colorées dans le secret de la ferme perdue, Eva se dénudait et devenait Evelyne pour son poète, son amoureux, son amant. Elle s'est essuyé les yeux, a déchiré la page entière, l'a pliée et l'a mise dans la poche de son short.

J'en aurais pleuré, moi aussi. Comment une certitude pouvait-elle produire autant de vide ? Je suis revenu m'asseoir non pas en face mais à côté d'elle. Je ne voulais pas croiser son regard. J'ai eu envie de la mordre et de l'embrasser, de la choyer et de la punir à la fois, ma Lyne assassine.

Mais pourquoi avait-elle tué son poète ?

« Tu as les yeux rouges, j'ai dit en regardant la mer.

— Je suis vannée.

— Prends ta journée, si tu veux.

— Ça ira.

— Je croyais que tu avais cessé de couler à pic.

— Stabilisée entre deux eaux, tu veux dire ?

— Tu aurais pu avoir rebondi d'un coup de ciseaux des jambes, une fois touché le sable au fond. »

Elle fixait dans le lointain le tiret blanc d'un paquebot qui gravait ses pointillés d'une île à l'autre, des Cyclades à Rhodes et de Rhodes à Alexandrie.

« Débarrasse-toi de ta ceinture de plomb qui t'empêche de remonter.

— Qu'est-ce que tu veux dire ?

— Parle-moi.

— De quoi ?

— De toi. »

Son regard a quitté l'horizon, à présent fasciné par la houle crêtée d'écume et le ressac, en bas de la plage, presque à nos pieds. Après un long moment, elle a fini par dire : « Qu'est-ce qu'il te prend, ce matin, Tello ? Tu as décidé de me rendre dingue ou quoi ? »

Pendant les quinze jours qui ont suivi j'ai choisi de me taire. Il m'aurait été facile, sans doute, de soutirer à Eva-Lyne l'aveu qui nous aurait définitivement unis, mais j'ai reculé : l'aveu, n'était-ce pas une sorte de boîte de Pandore ? Quels maux allaient en sortir, une fois le couvercle soulevé ?

On ne me fera pas croire que la confession soulage et le confesseur et le confessé. Pas plus que l'amour physique, une fois la petite mort expulsée, n'apaise. J'ai choisi la chasteté de la confidence occultée plutôt que l'embrassement sous les draps de la vérité. Cette attitude m'a révélé ceci : mon problème n'était pas d'être partagé entre les deux sexes, mais bien plutôt de puiser mon plaisir dans mon impuissance. J'appartiens à la race bâtarde de ceux qui campent entre le rez-de-chaussée et l'étage – oserais-je dire entre la terre et le ciel ? –, et se font reluire au milieu de l'escalier.

Les événements allaient me forcer à grimper en haut des marches, à ouvrir la porte de la chambre et à posséder Eva.

Le pli confidentiel – entendons : qui allait mener à la confidence – était inclus dans l'enveloppe matelassée que je recevais du siège environ une fois par semaine et qu'on appelait « la navette », ou par dérision « la valise diplomatique ». Elle contenait des circulaires, des instructions, des lettres de réclamation de clients auxquelles il fallait répondre via le siège en se justifiant, bref la lymphe administrative qui irrigue les vaisseaux de toute société vouant un culte à la communication interne et externe.

Le pli en question était un coffret en épais bristol glacé qui imitait une chemise à sangle – et sangle il y avait, en tissu, d'une couleur violet prélat qui en rajoutait dans l'esprit faire-part de deuil du recto et du verso, blancs avec un liséré noir. Le titre était imprimé dans le même violet que la sangle : *L'allumeuse d'étoiles*. A l'intérieur il y avait un CD. Que la maison de production soit allée jusqu'à arroser les clubs de vacances d'un service de presse donnait une idée des royalties qu'elle attendait de l'opération de récupération marketing du funeste destin de feu son pédégé. Au contraire du contenant, d'une belle sobriété mortuaire, la jaquette du CD était chargée et de mauvais goût. C'était un montage photo représentant la statue de la Liberté. Son visage était celui de l'Eva du portrait-robot. A la place du flambeau, elle brandissait un pistolet, et de ce pistolet jaillissaient des éclairs qui se dispersaient en étincelles dans un ciel constellé non d'étoiles, mais de dizaines d'yeux de zombis adipeux qui flottaient têtes et membres mêlés dans de célestes limbes. Un livret fournissait le texte de la chanson et divers extraits d'interviews accordées dans le passé à *France Culture* par le producteur sur les thèmes de l'intuition, de la découverte de talents, de l'avenir de la chanson française, etc., interviews enregistrées en partie sur le CD afin « que les voix de la victime et du bourreau chantent en duo le plus émouvant des requiem ». Inclinons-nous, chapeau bas. Enfin, il y avait dans la belle boîte un fatras de documents : fac-similés d'articles de journaux sur le double crime, biographie et « musico-biographie » de Craube, et carte de visite de l'attachée de presse avec ses cordiales salutations.

Un individu normal aurait couru jusqu'à la première platine venue, se serait coiffé du casque et aurait appuyé sur le bouton pour déclencher l'explosion et atteindre l'acmé de la jouissance. Moi non. Je suis un cruel passif. J'ai voulu qu'Eva avoue, m'avoue, qu'elle se donne, qu'elle se fende du pubis jusques aux cordes vocales, et qu'elle me supplie ensuite de la recoudre, moi la petite main, la brodeuse de tapis de soie.

J'ai affûté mon scalpel.

J'ai attendu qu'Eva soit présente dans les parages de la piscine à l'heure où je lançais l'intro musicale de ma revue de presse. Allongée sur un transat, elle surveillait les morpions du miniclub qui pataugeaient dans le petit bassin. J'ai lancé l'intro de mon émission, le fameux « pom-pom-pom-pom » de la *Cinquième* – l'originalité ne nous étouffe pas, nous les obscurs animateurs –, et au bout de dix secondes j'ai actionné la manette de l'aiguillage et poussé le gant de boxe en fonte, *L'allumeuse d'étoiles*, sur le rail en haut duquel Eva figurait le boxeur-butoir.

Mon intention était de jouer les voyeurs attendris. Entendant sa voix, Eva refermerait son magazine, tendrait le cou, poserait un pied sur le dallage, puis l'autre, la main en visière regarderait dans ma direction, d'un pas chancelant se mettrait à marcher vers la mer et l'embarcadère pour se jeter dans le bouillonnement de l'hélice d'un hors-bord. Mais son sang ne se mêlerait pas à l'écume : j'aurais couru, et je la retiendrais, et je murmurerais Eva, Eva, mon Eva, je suis avec toi.

Si j'avais écouté le CD au préalable, je serais probablement resté lucide. Trop tard, ai-je pensé en m'envolant. Ma coke, mon héro, mon ecstasy, c'était la voix d'Eva, ses filés, ses râles, ses frôlements d'ailes, ses cris, ses trilles, ses roucoulements, ses rires de gorge, ses crépitements, ses plaintes, ses tenus et ses syncopes.

Pourquoi avait-elle assassiné son poète ? Ces paroles nul autre n'aurait pu les avoir écrites pour elle et nulle autre n'aurait pu les chanter comme elle. Je me souviens d'avoir songé dans mon délire que la veuve de Craube, quels qu'aient été ses vrais motifs, sentimentaux ou pécuniaires, avait eu raison, mille fois raison de produire la chanson. C'eût été un autre crime que de laisser cela s'effacer.

« Où t'as dégotté ce truc, Tello ? »

Il restait un couplet ou deux – je ne pouvais pas savoir. Secoué par la question d'Eva surgie des confins de mon trip, je lui ai répondu, furax : « Ecrase ! Attends la fin ! »

J'arrive mon chéri, à tes ordres j'obéis
Moi ta faucheuse de canna, cannabiche
Hush baby hush baby hasch chie
J'arme ton revolver, allons dis-moi chiche
Que d'une balle dans la tête, dose létale
Je t'expédie au ciel allumer mes étoiles…

« Réponds, merde ! a-t-elle hurlé. Où t'as ramassé cette saloperie ? »

Sa fureur, ses tremblements ne m'accordaient pas plus de trois secondes de réflexion. Au-delà, elle aurait traversé la vitre de mon cabanon d'un coup de tête. Pas le temps de peser le contre et le pour. Juste celui d'une fugace hésitation entre la provocation (« C'est toi qui me demandes ça... Eva ? ») et la remise à plus tard du coup de scalpel définitif. Aurais-je vraiment voulu qu'elle fût liquéfiée ? En tout cas, elle n'avait pas couru se jeter à la mer.

« Ho ! T'as tes nerfs ? Qu'est-ce qui t'arrive ? Un truc que j'ai reçu ce matin, en service de presse.

— C'est nul !

— Absolument génial, tu veux dire.

— C'est nouveau ? a-t-elle minaudé.

— Tout neuf, ça vient de sortir. Tu te souviens de cette histoire de double meurtre, à Paris, il y a un mois et demi ?

— Vaguement.

— La fille que les flics recherchent avait enregistré une chanson, le soir du crime. Tu ne te souviens pas ? C'était écrit dans les journaux.

— Les journaux, tu sais... je ne les apprends pas par cœur. Et alors ?

— Alors, la veuve du producteur a décidé de sortir le CD. »

Je lui ai montré le luxueux coffret.

« Et ils ont mis le paquet ! Ce sera le tube de la rentrée, crois-moi.

— A cause du crime ?

— Ils s'en servent comme d'un levier. Mais même sans cela, cette fille aurait fait un malheur. Depuis vingt ans que je bricole dans l'animation et la chansonnette, j'ai jamais entendu une voix pareille.

— Tu es sincère ? »

Elle s'approchait doucement de la gueule du loup, la petite blanchette.

« Et il n'y a pas que la voix, il y a les paroles. Dommage que ce type soit mort et enterré. Ce que je n'arrive pas à comprendre, c'est pourquoi sa nénette l'a descendu. A la rigueur, un rimailleur devenu fou peut assassiner son égérie, mais on n'a jamais vu une muse tuer son poète.

— Qu'est-ce qui te dit que... ?

— Que quoi ?

— Rien.

— Mais si ! Tu allais me dire quelque chose...

— Faut que je retourne surveiller les gosses. »

Je l'ai retenue par le bras. Ses yeux étaient noyés de larmes. Que s'était-il exactement passé si Eva n'avait pas tué son type, comme je l'ai lu dans son regard à cet instant-là ?

« La fille ? j'ai dit. Tu penses que la fille n'a pas tué son parolier ? »

Elle a sauté le filet en beauté.

« La fille ? Quelle fille ? Excuse-moi, je n'arrive plus à te suivre.

— La chanteuse, Eva Stella.

— Oh, ça va, j'en ai rien à foutre de ton CD et de cette chanteuse avec son nom à la noix.

— Tu ne l'as pas assez bien écouté. Je te le repasse.

— Non ! Balance-le, je ne veux plus entendre ça.

— Pourtant, il va bien falloir ! »

Ce n'est pas à ma portée d'expliquer comment des mots peuvent sortir de votre bouche à votre insu. Contre ma volonté, contre mon amour pour Eva, contre ma compassion pour Lyne, un monstre a inventé sur-le-champ une subtile torture et a dit à ma place : « Entendre et apprendre : le saint siège parisien me prie d'ajouter cet air à notre répertoire.

— Tu plaisantes ?

— Pas le moins du monde.

— Ne compte pas sur moi.

— Désolé, ma vieille, c'est un ordre.

— Je préfère me tirer d'ici.

— Et aller où ?

— Au diable !

— Je ne te comprends plus. Tu l'as dit toi-même : tu n'en as rien à cirer. Alors, faire semblant de chanter cet air ou ne pas faire semblant, quelle importance ?

— On peut s'en passer, non ? Le spectacle est au point. Bouclé. Les Teutons, ils s'en taperont.

— Pas les Teutons du saint siège. Discipline allemande, ma chère ! Un ordre est un ordre.

— J'ai comme le sentiment que tu as envie de m'en faire baver.

— Détrompe-toi. Je t'aime, Lyne.

— A ta manière.

— Oui, à ma manière. »

Près du petit bassin, Greta avait réuni les mômes. C'était l'heure d'aller nourrir les dindons, les pintades et les poules naines du mini-zoo.

« Les gosses t'attendent.

— Je me pose des questions à ton sujet, Tello.

— On ira se baigner cet après-midi, Lyne. »

Et j'ai pensé : je vais lui mettre la tête sous l'eau, lui dire avoue, avoue, mais avoue donc, sinon je te noie. J'étais en proie à l'obsession de l'aveu, soudain.

Le soir, je lui ai apporté dans sa chambre une minichaîne et le CD dont par prudence j'avais fait deux copies sur cassettes, au cas où elle serait prise d'une pulsion destructrice.

« Apprends les paroles. Pour ce qui est du jeu de scène, je te fais confiance. Quant au décor, je suis partisan de la sobriété. Je vais m'arranger avec l'éclairagiste. On attaque dimanche. Ça te laisse quatre jours. »

Deux jours plus tard, la presse nous a appris que *L'allumeuse d'étoiles* était entrée dans le Top 50. Le nous n'est qu'une convention grammaticale. C'est en lisant les journaux séparément qu'on l'a appris. Il était exclu qu'on en discute. Le jeu du chat et de la souris n'est pas dialogué. Moi, ça ne m'a pas étonné, ce succès immédiat, pas plus que ne m'a étonné la montée du titre vers le sommet. Autant écrire tout de suite que début septembre Eva Stella prendrait la tête du Top 50 et n'en décollerait plus jusqu'au dénouement. Qu'en a-t-elle pensé, ma belle meurtrière ? Amertume, regrets, remords ? Elle est redevenue avide de la lecture des journaux qui, chaque jour, indiquaient sa progression vers le haut du classement. J'ignorais si elle écoutait le CD dans sa chambre et, de peur que le ton de ma voix ne me trahisse, je me suis bien gardé d'évoquer le sujet, tout en me demandant si le dimanche elle n'allait pas renâcler, à la seconde où je balancerais les premières mesures de *L'allumeuse*.

Ce dimanche soir, j'avais le diable au cœur. L'enceinte de la fosse était les murs de Jéricho. A l'intérieur de la ville, j'attendais les trompettes de Josué qui feraient tout s'écrouler. Mon machiavélisme m'effrayait : Eva-Lyne ne risquait-elle pas de mourir écrasée sous les éboulis ? Sur le pourtour, là-haut, les retardataires déménageaient des chaises, chope de bière à la main, et encerclaient peu à peu le chaudron d'où montaient des volutes de fumée de cigarettes éclairées de rouge par les projecteurs tournoyants. A l'opposé de la scène, en face de moi, la gueule obscure de la boîte de nuit a pris la forme d'une bouche d'égout vers laquelle un Niagara de bière déclenché des remparts balayerait pécheurs et pécheresses jusqu'aux flots noirs de l'Achéron, là-bas, à un kilomètre environ en pleine mer, où une buse, justement, expédiait les effluents du camp qui se diluaient en serpentant comme un long fleuve d'encre sépia.

Vêtu de ma queue-de-pie de bonimenteur, j'ai annoncé la soirée cabaret. Les projecteurs se sont éteints, Liza Minnelli est entrée en scène, et les projecteurs se sont rallumés pour l'emprisonner à l'intérieur de trois cercles blancs. Je suis sorti de la fosse. Assis à la terrasse du Café du Théâtre, j'ai écouté le play-back en sirotant du raki pur. Les rues du camp étaient presque vides, bien que le club affichât complet. Cela voulait dire qu'ils étaient tous, ou peu s'en fallait, dans et autour de l'arène. Mille cinq cents personnes.

Après Judy Garland et son quelque part au-dessus de l'arc-en-ciel, je suis redescendu me changer en blouson noir pendant qu'on roulait les motos sur scène, à l'abri du rideau baissé.

Cinq minutes plus tard, l'homme à la moto s'est planté dans un fracas de ferraille dont j'étais assez fier – chutes de gamelles sur fond de concert d'avertisseurs saisi sur le vif pendant les heures de pointe à Alanya. Des spectateurs se sont levés, qui connaissaient le programme. Lyne demeurait immobile dans sa petite robe noire à la Piaf. J'ai empoigné le micro et annoncé en allemand que nous avions ce soir une guest star en la personne d'une vedette qui venait d'être découverte en France à peine quinze jours auparavant et qui occupait déjà la dixième place au Top 50 : Eva Stella ! Par curiosité, la plupart des gens se sont rassis. J'ai dit à Eva-Lyne, la bouche en coin : « Reste pas plantée comme ça.

— Salaud ! » a-t-elle murmuré.

Avait-elle deviné ce que je lui réservais ?

J'ai fait signe à l'éclairagiste et j'ai viré le Turc du pupitre sono.

« Va boire une bière... »

La scène a été plongée dans l'ombre en même temps que le ciel s'éclairait au-dessus d'Eva. Et moi, dans la nuit de la cabine, le visage faiblement éclairé par les témoins lumineux, j'ai allumé la mèche. D'un index moite, j'ai enfoncé la touche et balancé les violons de l'intro.

Tout d'abord, Lyne n'a pas bougé.

J'ai ricané : eh bien, reste donc les bras le long du corps et la bouche close ! J'ai presque souhaité ça, une fraction de seconde.

Comme un chien d'arrêt qui guette de son maître l'ordre de faire lever l'oiseau tétanisé sous la fougère, Lyne a lentement tourné la tête vers moi. J'ai augmenté le son. Je ne jurerais pas qu'elle a hoché la tête, mais dans l'instant qui a suivi elle a arraché sa perruque Piaf et l'a jetée en secouant ses cheveux blonds sur ses épaules. Puis elle a fait glisser sur ses épaules les fines bretelles de sa petite robe sans manches qu'elle a laissée choir à ses pieds.

Le public a grogné. Des centaines de types ont dû ressentir la même chose que moi : bien qu'elle fût vêtue, sous sa robe, du body noir de Liza Minnelli/ Marilyn Monroe, elle paraissait plus vulnérable et plus nue que tout à l'heure, Eva. Elle l'a été encore plus, nue et vulnérable, lorsqu'elle a ôté ses chaussures. Il y a eu des sifflets, suivis immédiatement de murmures de protestation. L'intro se terminait. Lyne a croisé ses mains sur son pubis et s'est dressée sur la pointe des pieds. Son corps s'est tendu en arrière comme un arc, sa bouche s'est ouverte et, synchronisées, à une nanoseconde près ses lèvres ont formé les mots :

J'arrose ton cannabis
Marie-Jeanne du pénis
Et j'le fume ton hasch
Pour le prendre mon flash
Quand j't'allume ton étoile
Couchée sur toi dans les toiles...

Eva venait de naître et c'était mon ventre à moi qui se tordait de douleur.

J'étais l'accoucheur et l'accouchée et Eva la maman et le bébé.

... A nos noces barbares on jettera le riz
Pour toi je prendrai les voiles
En allumant les étoiles...

Sitôt l'enfant venu au monde on doit le baigner afin de le débarrasser des humeurs de la matrice.

Quelles humeurs ?

Rien à faire, beau gratter l'allumette
Société médiatisée, ignifugée garantie audimat
Char à bœufs, tous blindés full metal jacket…

Ces violons et ces hautbois et la technique et les haut-parleurs et ton micro sont tes humeurs, Eva.

… Y en a marre de se fouler la rate
A la remuer, société grosse vache
Allez, flingue-moi, qu'enfin je m'arrache !

Je veux ta voix pure, Eva !

Petit à petit, j'ai diminué la sono.

Le bébé proteste dans l'eau du bain.

Si on avait dû mesurer l'amplitude des mouvements d'Eva, il aurait fallu un pied à coulisse micrométrique. Et pourtant, ce corps qui ne bougeait presque pas semblait s'arc-bouter contre le monde entier. Chevilles et buste cambrés, épaules tirées en arrière mais refusant de céder, Eva chantait de tous ses muscles noués.

Le public, germanophone à quatre-vingt-dix-neuf pour cent, était incapable de comprendre les paroles. Pourtant, aucun murmure ne l'agitait, aucune houle de lassitude ne le soulevait. La voix seule suffisait à envoûter.

La voix artificielle s'est tue et l'orchestration avec elle.

Eva s'est tournée vers moi. Mes yeux brillaient-ils dans l'obscurité de la cabine, comme les étoiles qui montaient dans le ciel, commandées par l'éclairagiste ?

J'ai aboyé avoue, avoue, avoue, Eva !

Courant sur place sur ses orteils nus, agitant ses bras comme une folle, Eva a avoué. C'est à moi qu'elle a dit, en direct, de sa vraie voix qui était plus belle encore que celle de l'enregistrement :

J'arrive, mon chéri, à tes ordres j'obéis
Moi ta faucheuse de canna, cannabiche
Hush baby hush baby hasch chie
J'arme ton revolver, allons, dis-moi chiche
Que d'une balle dans la tête, dose létale
Je t'expédie au ciel allumer mes étoiles.

En sanglotant, j'ai balancé le finale, à une hauteur digne de faire imploser les baffles : trois accords et un coup de feu.

Le silence.

Eva m'a salué, dos au public. En partie perplexes, en partie chamboulés, les gens ont applaudi, comme on applaudit lorsque le rideau descend sur la tragédie, qu'Othello a étranglé sa Desdémone et qu'on se dit quel con !

Eva a ramassé sa robe, sa perruque et ses chaussures, et s'est enfuie vers l'arrière-scène.

Je l'ai reçue dans mes bras. Elle pleurait.

Je lui ai dit : « Merci, Eva. »

Je l'ai aidée à enfiler sa petite robe noire, sa petite brassière de nouveau-né, et on s'est enfoncés dans le *no man's land* entre le camp et les lampions de l'oasis de Mehmet, là-bas parmi les oliviers. Un taxi nous a dépassés en trombe, nous enveloppant d'une poussière tiède qui sentait le tourment et l'exode. Je soutenais une Eva devenue poupée de son : tous les ressorts de ses membres avaient claqué au coup de feu final et elle marchait, d'un pas incertain, le menton sur la poitrine.

Nous voyant sortir de l'ombre et entrer dans le halo orangé, Mehmet a poussé sa sono, Zübeyde a dégringolé de son tabouret et s'est mise à danser.

Messout m'a donné l'accolade et a secoué la main d'Eva, qui n'a pas réagi, tête baissée, les cheveux sur le visage.

« *Sick* ? Malade ?

— Donne-moi une bouteille de raki et deux verres, Messout.

— Raki ! Lyne est malade ! » a hurlé Messout.

Mehmet est accouru. Son épouse, qui, assise en tailleur, était occupée à écosser des haricots dans son tablier étiré entre ses genoux, s'est levée en tenant le tissu fermé d'une main.

« Malade ? a dit Mehmet. Tu veux qu'elle s'allonge à l'intérieur, Tello ? »

L'épouse hochait vigoureusement la tête et de sa main libre montrait la porte.

« Non, merci, Mehmet. Elle a besoin d'un peu de repos. Elle va aller s'allonger sous les oliviers et on boira le raki.

— Comme tu veux, Tello. »

Zübeyde a cessé de danser et s'est réfugiée sous l'épaule de son père qui lui a ébouriffé les cheveux. La mère s'est rassise et la fillette s'est agenouillée pour l'aider à écosser les haricots. Messout a enfilé deux verres sur le goulot d'une bouteille de Yeni Raki, j'ai pris le tout et on est retournés dans l'obscurité, s'étendre sur la terre chaude, sous la garde des troncs tordus des oliviers centenaires, quêteurs de mémoire encore plus noirs que la nuit. Ils avaient des racines, eux, comme la liqueur à l'anis qui plongeait les siennes dans les cornues de l'Orient. J'ai rempli les verres, Eva a vidé le sien d'un trait et a posé sa nuque sur une touffe d'herbe sèche.

« Tu m'as possédée, Tello, a-t-elle chuchoté avec un pâle sourire de convalescente. Tu m'as baisée, toi, l'impuissant...

— Je t'ai menti. Le play-back, c'était mon idée, pas un ordre du saint siège. Tu n'auras pas à le refaire.

— Tu m'as baisée et trahie...

— Pardon, Eva.

— Pardon de quoi ? Je me suis donnée, tu ne m'as pas violée.

— Tu ne m'en veux pas ?

— Enfin je partage, et tu ne peux pas savoir comme c'est bon. »

On s'est adossés à un tronc, la bouteille entre nous.

« Buvons, Tello !

— Buvons, et quand tu voudras tu me diras pourquoi tu as assassiné ton poète. Le producteur, je m'en fous, mais le poète, pourquoi ?

— S'il n'était pas mort, arrivé à ton âge il t'aurait ressemblé, Tello. Je ne peux pas l'imaginer autrement, vieilli, que sous tes traits. »

La gorge nouée, j'ai essayé de plaisanter.

« Vous m'aimeriez donc un peu, Eva ?

— Je t'aime à distance.

— Rapprochez-vous, madame, je vous en prie.

— Je t'aime dans l'avenir. Le problème, c'est qu'on n'arrivera jamais à combler la distance entre nous.

— A moins que je ne rajeunisse !

— Tu voudrais revivre tes années d'espoirs foutus ?

— Non.

— Alors, tu vois, c'est impossible.

— Si je rajeunissais, tu me tuerais ?

— Je n'ai pas assassiné mon poète, Tello. »

Les yeux fixés sur la flak de la disco qui de son cratère arrosait nos étoiles de balles traçantes, elle m'a raconté l'essentiel. Son poète avait écrit un livre où il parlait de sa jeunesse, de son père abruti et de sa mère nymphomane, il aurait pu devenir écrivain, mais ne le serait pas, puisque aucun éditeur n'avait voulu du manuscrit et qu'il était mort.

Alors Eva, depuis son arrivée au camp, un peu par mimétisme et beaucoup par désespoir, avait entrepris de compléter son histoire, leur histoire à tous les deux.

« Tu liras mon cahier, Tello, tu auras tous les détails. »

Moi, ce qui m'intéressait le plus, c'étaient les circonstances du drame.

« Tu as tiré et Craube a été tué, mais tu n'as assassiné personne. C'est un accident. Il n'y a qu'un assassin : Craube.

— Qui me croira ?

— Tu n'auras besoin de convaincre personne. Les flics ne te retrouveront jamais. Eva n'est qu'un fantôme.

— Un revenant, plutôt. Tu m'appelles Eva et je suis à côté de toi, et nous buvons du raki. D'ailleurs, c'est drôle… on a beau boire, on n'est pas ivres. On est bien deux fantômes.

— Deux fantômes qui ont un séjour à terminer dans le monde des vivants et ne savent pas comment. »

Comme aux premières clartés de l'aube s'évanouissent les vampires sous les dalles des cimetières, au petit jour nous avons quitté l'oliveraie pour nous enfermer dans le béton.

Les cuisses dénudées, Zübeyde dormait dans un hamac près du poulailler. En nous voyant, un coq s'est précipité contre le grillage, les plumes du cou hérissées. Il a attendu qu'on lui tourne le dos pour sauter d'un coup d'ailes sur le pondoir et se mettre à chanter.

Tout le long du chemin, ses congénères lui ont répondu.

On a pris les journaux dans mon casier et on est allés s'asseoir sous la treille, face à la mer. Le service du petit déjeuner commençait.

Eva avait encore gravi quelques marches vers le sommet du Top 50. Le soleil se levait. On a ri, soûls de raki. C'est une liqueur qui ne distille son ivresse qu'à la lumière.

Baisers et rires légers, pas gracieux, membres déliés, peau brunie : sorti de la chrysalide du secret, mon papillon de nuit s'est transformé en libellule. Nous n'avons plus évoqué l'affaire, nous n'avons plus parlé du passé, et avec soin nous évitions d'envisager le retour en France, pourtant inéluctable. Pendant quinze jours nous avons fermé boutique, le miroir de notre conscience passée au blanc d'Espagne, et l'avenir grimaçant pouvait bien toquer à la vitre, aucun de nous deux n'était disposé à lui ouvrir. De crainte que le phénomène de la métamorphose ne puisse aller à rebours, je soufflais sur la libellule de façon qu'elle ne cesse de voleter, insouciante. Nous dormions ensemble, comme frère et sœur, et ni l'un ni l'autre ne faisions de cauchemars.

Fin août est arrivée la fraîcheur nocturne. La température de la mer a baissé d'une demi-douzaine de degrés, les convois sont devenus rares et Messout a retrouvé sa gaieté : en octobre, il rejoignait son ermitage, un chalet isolé sur les flancs enneigés du Bey Daglari. Tout l'hiver il chassait et vivait de sa chasse. La saison achevée, il jetait son entrain factice aux orties et maudissait le tourisme. Autrefois il chassait sur la côte dans les immenses pinèdes aujourd'hui abattues pour construire les hôtels et les clubs. Septembre était le mois au cours duquel les Turcs se confiaient en redevenant eux-mêmes.

Le 3 septembre, une semaine avant notre départ, j'ai trouvé dans mon casier un second service de presse de la maison de production. Le pli contenait une cassette vidéo. Eva et moi on l'a visionnée ensemble. C'était un clip. Logique, d'un point de vue économique. La dépense supplémentaire devait permettre l'ultime saut de puce d'Eva en tête du hit.

Le film sacrifiait au culte in de l'éphémère et du superficiel putassier : empilement galopant de plans fixes fugitifs, nouvelle cuisine étroite d'inspiration servie dans l'assiette creuse de la démagogie, sauce Histoire et Révolution, mélange sucré-salé faussement provocateur et véritablement anesthésiant. De mémoire, et dans le désordre, je cite pour l'anecdote quelques séquences : le Che, champs de pavots, seringues, junkies menottés, manifs, mai 68, émeutes de San Francisco, Lénine, Staline, bataille de Stalingrad, joints, dernier plan de *More*, Jérusalem, Mao, Cap Canaveral, vitrines brisées, charges de CRS, clichés de Doisneau, mariages princiers, naufrage du *Titanic*, Hiroshima, etc. Ce message des plus fous n'aurait pas pu viser plus large. Dans cette fondue tartignole chacun pouvait piocher un bout de bidoche à son goût. Devant ce genre de plat mon estomac se révulse et lâche un gros rot. Vent contre vent. Mais tout cela était bien gentillet à côté de ce qu'ils avaient concocté pour relier les plans fixes. Incrédule, j'ai dit à Eva : « Tu as tourné ? Je croyais que tu n'avais fait qu'enregistrer.

— Mais non, a-t-elle soufflé, ce n'est pas moi…

— Les salauds ! Une image de synthèse ! »

Oui, le plus inattendu, le plus dégueulatoire, c'était l'Eva virtuelle créée à partir du portrait-robot. Une Eva ophéliale qui chantait et se mouvait dans des brumes nordiques. Une Eva évanescente qui montait au ciel, Vierge Marie. Une Eva témoin historique : au côté de Fidel Castro, kalachnikov levé ; serrant la main d'Arafat ; descendant d'un avion au bras de John Kennedy. Une Eva prêtant son visage : à la *Vénus* de Botticelli ; à la Marianne de *La Marseillaise* de Rude ; à la *République guidant le peuple* de Delacroix ; à la Joan Baez des sixties couronnée de marguerites. J'ai écrasé la touche stop de la télécommande.

Flétris, racornis, nous étions aussi gris que l'écran gris du poste éteint.

« C'est dégueulasse, Tello, ils n'avaient pas le droit... »

Nos trois semaines d'inconscience idyllique venaient de s'achever. Aussi vite que le magnétoscope rembobinait la bande, j'ai remonté notre passé récent jusqu'au soir de l'aveu chanté dans les arènes du camp. Cette nuit-là, sans nous concerter, nous avions garrotté la veine de la clepsydre. Epouvantés, nous avons ôté nos mains de l'instrument à mesurer le temps. L'eau sale des jours à vivre s'est remise à couler.

Nous allions rentrer en France dans quelques jours. Le camp était presque vide et nous étions aussi désœuvrés qu'indéterminés. Un après-midi, Messout nous a emmenés sur le bateau de son frère observer les tortues le long des berges d'un fleuve qui descend tout droit de ses chères montagnes. Ce fleuve ne possède pas d'estuaire. Sur la fin de son parcours il glisse, tel un bloc de glace, lisse et teinté dans sa masse du vert tendre des végétaux arrachés aux alpages, à l'intérieur d'une gouttière qui épouse les contours d'une dune étroite, fragile glacis qui le sépare de la Méditerranée, et soudain vire à angle droit et s'engouffre dans une brèche aléatoire. Il heurte la mer d'un constant coup de bélier qui couvre les hauts-fonds de bigoudis géants, immuables rouleaux solides comme des troncs. Pour franchir cette barre, les capitaines d'abord s'éloignent, puis se présentent face à l'obstacle, poussent leurs moteurs et d'un seul élan schlittent leur bateau sur les cylindres en mouvement. Malheur aux barcasses dont le moteur cale : elles enfournent aussitôt, roulent sur le flanc et s'échouent sur la lèvre orientale de la fente, là où l'eau douce fait friser la mer en soulevant des nuages de sable.

Dans le grondement du diesel cravaché, nous avons sauté l'obstacle. Le frère de Messout a levé le pouce.

Nous avons mis le cap vers l'amont. Le contraste était étrange avec le rivage que nous avions longé avant d'arriver à la passe. Tout comme la dune nous avait dissimulé le fleuve, la berge méridionale nous dissimulait la plage, le fleuve ayant creusé son lit bien au-dessous du niveau de la mer. Ses rives étaient couvertes d'une épaisse végétation de saules et de roseaux. Au fur et à mesure que nous avancions, Messout nous montrait du doigt les tortues tapies sur les racines émergées des saules. Le long de la rive gauche, du côté des terres, s'élevaient des cabanes sur pilotis. Derrière, on apercevait des parcelles de maïs, et parfois quelques vaches. Au loin, très loin, les sommets de la chaîne des Taurus se perdaient dans les brumes.

A environ deux milles de la barre, le frère de Messout a amarré son bateau au ponton d'une cabane bâtie sur la dune. Les deux frères allaient saluer un cousin qui élevait des truites arc-en-ciel dans des cages immergées.

Nous sommes convenus qu'ils nous reprendraient sur la plage, près de la bouche du fleuve, vers où nous avons commencé de redescendre en marchant sur la crête de la dune. A mi-chemin de cette longue langue de sable déserte, nous nous sommes baignés. La pente de la plage était abrupte : à moins de trois mètres du rivage nous n'avions plus pied. Nous avons longtemps nagé vers l'est. Non loin de l'embouchure du fleuve, nous sommes sortis de l'eau et j'ai proposé à Eva de plonger dans le fleuve, de l'autre côté de la dune, afin de vérifier si cette eau absinthe était aussi froide que Messout et son frère le prétendaient. Elle était glaciale. C'était à croire que ce précipité vert n'était qu'une coulée de neige fondue. Pourtant, les neiges éternelles se trouvaient à des dizaines de kilomètres de la côte et le fleuve traversait une pénéplaine durant des mois écrasée de chaleur. Saisis, suffoquant de froid et claquant des dents, nous avons couru nous réchauffer dans la mer, qui nous a semblé brûlante.

Avec quelque chose de meurtrier dans le regard, Eva m'a tiré par la main et m'a forcé à la suivre de nouveau dans le fleuve, à y rester plusieurs minutes, à n'en sortir qu'au bord de l'évanouissement, puis à marcher d'un pas trébuchant vers la mer, et ainsi de suite. Prise de fou rire – d'un fou rire entrecoupé d'inspirations oppressées, car le froid ne lui coupait pas moins le souffle qu'à moi –, à dix reprises elle m'a infligé ce choc.

« On va… se tuer… Tello », hoquetait-elle.

Enfin, j'ai imploré grâce et nous sommes tombés côte à côte sur le sable. Le soleil déclinait. La mer s'assombrissait, le sable devenait orangé, nos corps brunissaient et des ovales bleu ardoise et noir de jais ombraient le fleuve sous les branches des saules.

Eva a ôté son maillot, l'a mis à sécher sur le sable et s'est rallongée à côté de moi, nue.

Lorsque deux êtres sont ainsi étendus flanc contre flanc dans la plus grande des solitudes et qu'ils fixent de leurs regards vides le ciel vide, la confession peut avoir lieu. Seuls les mots comptent : ils ne sont pas trahis par les expressions des visages.

« Dis-moi, Tello…

— Oui, Eva…

— En ce moment, à cet instant précis, comme ça, tu ne me désires vraiment pas ?

— Non, Eva, je ne te désire pas. Je suis désolé.

— Tu ne peux pas ou tu ne veux pas me désirer ? »

J'ai posé ma main sur son pubis, qu'a épousé ma paume. Son ventre a légèrement frémi. La convexité me rassurait, tempérait l'effroi que m'inspirait l'idée du creux, un peu plus bas.

Je m'en suis tiré par une pirouette absconse.

« Le problème est au cœur de ma volonté. Ma volonté se refuse à vouloir.

— Dire que je comprends serait mentir, a-t-elle ironisé.

— On n'ira pas bien loin, comme ça.

— On n'a pas besoin de baiser pour être heureux ensemble.

— Je ne parlais pas de nous, je parlais de toi.

— Evelyne n'existe plus.

— Je parlais d'Eva.

— Eva est virtuelle.

— Voilà la question : comment continuer à vivre quand on est morte deux fois ?

— Ah ? Tiens ! Tu y pensais, toi aussi ? a-t-elle dit d'un ton badin.

— On a fait semblant d'oublier, tous les deux.

— Oublier ?

— Le producteur, le système, et maintenant le public qui acclame ta sœur de synthèse. Ils sont en train de te dépouiller. Ils te volent ton talent. Ils t'ont volé Roparz : sa vie, sa mort et sa mémoire.

— Qu'est-ce que tu me conseilles ? De porter plainte ?

— Réclamer ton dû. Le producteur te vole, tout court. Ils vont gagner des milliards avec ta voix et ton image de merde.

— C'est une manière de rembourser. De payer mon crime.

— Quel crime ? Tu n'as pas tué, tu t'es défendue.

— Une façon de voir... Que ne partageront pas forcément mes juges.

— Livre-toi aux flics, Eva, tu ne risques rien. »

L'air sec, le crépuscule et la rumeur du ressac absorbaient nos paroles comme du papier buvard. On avait l'impression que les mots s'éteignaient avant qu'on ait fini de les prononcer.

« Tu crois que je n'y ai pas pensé ? Mais plutôt crever que d'aller en tôle.

— Qui te dit que tu irais en tôle ? Le producteur tue Roparz sous tes yeux, tu saisis le pistolet, le coup part…

— Comment prouver que je ne les ai pas tués tous les deux ?

— Les flics le savent bien. Expertises balistiques et tout le tremblement. Tu es leur chaînon manquant, le témoignage qui confirmera les rapports de police technique. »

Je l'ai ébranlée.

« Tu le crois vraiment ?

— J'en suis sûr. Qu'est-ce que tu as fait du pistolet ? Tu l'as balancé ?

— Je l'ai planqué, à Paris.

— Ils reconstitueront la scène, seconde par seconde, et ils verront bien que tu ne mens pas.

— En attendant, je moisirai en prison.

— Pourquoi ? Homicide involontaire… Ils te laisseront en liberté.

— Pas toi qui iras en tôle. »

On entendait le bateau du frère de Messout se rapprocher.

« Tu es devenue intouchable, Eva. Il faut t'enfoncer ça dans le crâne ! Tes fans assiégeront le commissariat, le tribunal, la prison. On déclenchera une campagne de presse en ta faveur.

— Il ne te vient pas à l'idée que je préfère finir mes jours dans l'anonymat ?

— Et laisser tout le système s'engraisser sur ton dos ? Tu as lu les journaux, comme moi. Cinq cent mille CD, le million avant la fin de l'année. Et les droits, tes droits, tu vas leur en faire cadeau ? Tu es riche, Eva !

— Tu serais mon imprésario ?

— Pourquoi pas ? »

Le bateau de Messout franchissait la barre et virait en direction de la plage. Eva a remis son maillot de bain et s'est levée. Elle s'est frictionné les bras et les épaules.

« T'es con, Tello. Tu me vois, à Paris, entrant dans un commissariat puant et tendant mes poignets ? C'est moi, Eva... »

Messout a envoyé un coup de trompe. L'étrave du bateau s'est enfoncée dans le sable, on s'est hissés à bord, et machine arrière toute le bateau s'est dégagé. On a mis le cap sur le soleil rouge qui s'enfonçait dans la mer. Parallèle à la côte, une grosse houle venait du large, que le bateau prenait par le travers en roulant bord sur bord. Un drap de bain plié sous la tête, Eva est restée allongée sur la plage arrière à lutter contre le mal de mer.

On a regagné le camp dans la voiture de Mehmet, conduite à un train d'enfer par Messout. On s'est arrêtés dans le *no man's land* boire un raki.

Eva avait repris des couleurs. Zübeyde jouait avec un lapin blanc. Elle danserait ce soir.

« Tu étais sérieux, Tello, tout à l'heure, quand tu me disais de me livrer aux flics ? »

Je l'étais et je le lui ai affirmé : « Je trouverai une solution... »

Il m'a semblé préférable de lui taire que mon ambition était de clore la liste de ses Pygmalion. Jusqu'à présent, elle en avait eu trois : son musicien des rues qui l'avait expédiée au charbon dans les monts d'Arrée du Finistère ; Roparz, son poète, qui lui avait légué des mots de passe à déchiffrer ; et Craube, qui avait commencé à élever le socle. Aucun n'avait pu achever Galatée. Je serais celui-là et puis, vêtu de la tunique d'Aphrodite, je lui insufflerais la vie. Je lui ai également tu un tourment qui me hantait, cette pensée qu'elle n'aurait pu me pardonner : mon propre désir d'être reconnu à travers elle n'était-il pas plus fort que sa propre aspiration à renaître au grand jour ?

« Moi aussi, a-t-elle dit.

— Toi aussi ?

— Je trouverai une solution, quoi qu'il arrive...

— Fais-moi confiance. Je te promets de ne pas rater ta naissance. Ils seront des milliers à se pencher sur le berceau d'Eva. »

La nuit suivante on s'est envolés pour Paris. Le club fermait, Mehmet allait démonter sa pergola et Messout, sac au dos et fusil à la bretelle, se retirerait dans ses montagnes.

A Roissy, j'ai dû soutenir Eva. Blême, elle hésitait à se présenter au contrôle de police.

« Qu'est-ce qu'ils en ont à foutre, d'une touriste de plus ou de moins ? »

Les douaniers nous ont fait signe de passer et les flics de la police des frontières, trop occupés à vérifier les papiers des Turcs qui résidaient en France et rentraient de vacances en famille, n'ont pas daigné jeter un coup d'œil sur mon passeport et sur sa carte d'identité.

Tandis que nous nous laissions porter par l'escalier mécanique à travers les bulles de verre, j'ai tenté d'arracher un sourire à Eva.

« Tu vois, on descend de notre planète. »

Elle a grimacé.

« J'ai la trouille de revenir sur terre.

— Personne ne te reconnaîtra, n'aie pas peur.

— Ce n'est plus de ça que j'ai peur... »

Les pendules de l'aéroport affichaient neuf heures. Comme on avait quitté le camp à deux heures du matin après avoir abusé du raki de Mehmet et qu'on n'avait pas fermé l'œil dans l'avion, on s'est d'abord réconfortés : croissants et cafés serrés, le rituel de tout citadin franchouillard de retour dans l'Hexagone.

A l'extérieur de l'aéroport, on a enfilé nos pulls. Il y avait du crachin et la température n'excédait pas dix degrés.

« On va regretter l'Eden.

— Pas de danger ! »

Eva s'est dirigée vers la station de taxis.

« On prend le bus, Eva. Les restrictions automnales commencent.

— T'as oublié que j'avais plein de fric ? J'ai à peine entamé les cinquante mille balles. On va le croquer, ce pognon.

— Peut-être qu'il vaudrait mieux le rendre, au moment où… Enfin, quand… Ça ferait bien dans ton dossier, non ? La fille honnête qui…

— D'abord, personne ne sait qu'on l'a taxée, l'autre crapule. Ensuite, qu'est-ce que tu fais des milliards que tu m'as promis ?

— Tu n'as pas tort. Mais depuis le temps que je rame, en hiver je compte mes sous, comme une petite vieille qui économise le chauffage et le samedi réchauffe trois nouilles dans la sauce de son bifteck du dimanche précédent.

— Aurais-tu un tempérament de minable, Tello ? Au club tu étais différent. Ne me dis pas qu'en France tu deviens frileux. J'ai horreur des types en tricot de corps.

— Je n'en porte pas.

— Sur le dos, mais sur la cervelle ?

— Tu deviens méchante.

— C'est de ta faute. Je veux m'éclater, moi ! Arroser ma naissance. La fête, la noce, la java !

— Je ne te crois pas.

— Qu'est-ce que t'en dis, toi qui aimes les idées tordues, d'un fœtus qui s'arsouille ?

— Arrête, bon Dieu ! On dirait que tu es défoncée.

— Réponds !

— Ce que j'en dis ? Que je ne peux pas me permettre d'excès.

— Les économies ?

— Le régime, pour la mère.

— Quelle mère ?

— Moi. Je vais accoucher bientôt.

— Accoucher ?

— De toi, le fœtus qui veut s'arsouiller.

— Tu es vraiment con, Tello ! »

Elle m'a embrassé sur la joue. Son enjouement sonnait faux. Je la préférais catatonique, Eva. Au moins, quand elle était perdue dans ses étoiles, je savais où aller la chercher.

« Tu as gagné, on prend un taxi. »

On s'est d'abord rendus au saint siège signer notre feuille de démobilisation et percevoir notre chèque pour solde de tout compte. Eva a récupéré un sac qu'elle avait laissé en dépôt avant de partir.

Dans le second taxi, elle a entrouvert le sac.

« Regarde. »

Des cheveux noir corbeau.

« La perruque d'Eva, Tello ! »

Elle a ri, et je n'ai pas aimé son rire.

Mon deux-pièces sous combles était un sixième sans ascenseur, rue des Pyrénées, dans le XXe.

« Le lit est étroit, on achètera un deuxième matelas », j'ai dit.

Eva est allée ouvrir la fenêtre.

« Ça sent le vieux célibataire...

— La chaussette sale ?

— Je n'ai pas dit ça. »

Elle s'est penchée, les mains à plat sur les ardoises.

« Oh, dis donc, on a même vue sur le cimetière ! »

Par-dessus les toits, on apercevait un bout du Père-Lachaise.

« Je ne regarde jamais par la fenêtre. »

Elle a refermé.

« Alors, continuons de ne pas regarder...

— Quoi donc ? j'ai dit, inquiet.

— La réalité d'en face. »

Elle s'est enfoncée dans l'un des deux poufs, souvenirs d'un séjour au Maroc.

« A part les bouquins, c'est drôlement zen, chez toi. »

Le mobilier se réduisait à une table, quelques chaises pliantes, un lit de camp, des caisses, des étagères branlantes en bois blanc et ces deux poufs. En revanche, des bouquins, il y en avait des piles un peu partout.

« Je passe l'hiver à lire. Je me rince la cervelle.

— Faudrait que j'essaie.

— De lire ?

— L'eau de Javel dans l'eau de rinçage. »

On a acheté deux mètres carrés de Bultex et une couette, et j'ai fait mon lit contre la desserte qui séparait le coin-cuisine de la pièce à vivre. Eva a pris mon lit et ma chambre, ce qui ne l'empêcherait pas de venir souvent, au petit matin, se blottir sous ma couette, contre moi.

Au début, et contrairement à ce qu'elle m'avait dit à l'aéroport à propos de la grande vie, comme un chat ramené d'un refuge de la SPA, elle a exploré son nouveau territoire avec circonspection en l'élargissant progressivement : l'appartement, l'immeuble, la rue, l'épicerie de l'Arabe, les bistrots d'à côté, toujours avec moi qui la tenais en laisse.

Quand elle a enfin admis qu'elle n'attirait pas plus les regards qu'une autre, elle est sortie seule et a commencé de claquer le fric de Craube comme une fille qui se fout de tout claque son fric : en achetant des brassées de fringues et de pleins paniers de produits de beauté, en guise d'antidépresseurs.

Malgré la peur que j'avais de retrouver l'appartement vide à mon retour, malgré mon angoisse qu'elle disparaisse, j'en ai profité pour prendre des contacts avec mes copains du showbiz, afin de tenir ma promesse : dénicher le bénitier géant duquel Eva-Vénus sortirait du néant sous les yeux d'un public innombrable.

« Fais-le comme tu le sens, Tello. Tu me diras quand. En attendant, évitons le sujet. J'ai envie de m'attarder dans mon bain. Le bain de l'oubli. Quand l'eau sera froide, je sortirai. »

Tout naturellement, j'ai jeté mon dévolu sur Angelo. J'étais son Mehmet à lui, son Messout hiémal, son amuseur des longues nuits du septentrion. L'hiver, il me prenait sous son aile, en souvenir du bon vieux temps, et faisait semblant lorsque j'étais raide de m'acheter un sketch, qu'il n'arrivait jamais à vendre aux télés. Je disais : « Je ne peux pas te rembourser, Angelo. – Te casse pas, il répondait, garde le pèze, y aura peut-être amateur un jour, le style Fernand Raynaud peut revenir à la mode... » Ancien rocker des sixties, has been à vingt ans, à vingt-cinq reconverti dans les affaires et à trente riche organisateur de concerts pour têtes du hit, Angelo cumulait les mérites : il était assez branque pour accepter de marcher dans ma combine, cultivait des relations dans les jardins suspendus des ministères et enfin, qualité primordiale, c'était un plaideur-né. Je ne doutais pas que moyennant l'engagement d'Eva de signer avec lui il lâcherait ses avocats sur la veuve de Craube. En quelques coups de crocs ils réduiraient en poudre d'os le contrat merdique qu'Eva avait signé. Angelo m'aimait bien, c'était peu dire. Avec moi il avait toujours été réglo. Il ne verrait aucune objection à me ristourner, en qualité d'agent favorisé, un pourcentage sur les gains d'Eva. Mes épaules se couvriraient d'un peu de poudre d'or. Frêle, trop frêle envergure : l'averse ne durerait pas, là-dessus je ne me faisais aucune illusion. Très vite Eva s'en irait chanter sous la pluie d'or avec un plus malin ou plus requin que moi. Pygmalionceau, Tello, juste bon à gâcher le plâtre du moule, c'est ce à quoi j'ai pensé en m'asseyant en face d'Angelo dans ses bureaux chrome, cuir et velours de soie des Champs-Elysées, une adresse que je ne pourrais jamais assumer, moi, même si j'avais le blé pour me la payer.

Les joues liftées, le cheveu décoiffé façon artiste, le veston mollasse et divinement assorti à ses slacks, Angelo était ce genre de types qui sur leur lit de mort auront encore l'air dans le vent. Revêtu du suaire, il serait bien capable d'en lancer la mode.

Il m'a demandé de mes nouvelles, comme le cousin qui a fait fortune s'arrête demander des nouvelles du pays au cousin qui n'a pas quitté sa glèbe. Il toque à la vitre qui le sépare de son chauffeur en livrée et la Rolls se gare près du tas de fumier où l'autre est planté, dans la merde jusqu'aux genoux. Alors, tu es content de ton tracteur neuf ? Et le cours du porc ? Et le prix du lait ? Et les poules, elles pondent ? Exquise urbanité inspirée par le souvenir ému des parties de touche-pipi d'antan – des courses au cacheton de nos vingt ans, en l'occurrence.

J'ai annoncé la couleur.

« J'ai une affaire à te proposer.

— Holà ! Les affaires, faut que je te dise, elles sont plus ce qu'elles étaient. »

Sur la défensive, tout de suite, le cousin millionnaire, comme s'il s'attendait que je lui propose de racheter le pré du père François ou la maison natale du grand-oncle.

« Eva Stella et *L'allumeuse d'étoiles*, ça t'évoque une quelconque réalité ?

— Tu parles, Charles ! Je me lasse pas de visionner le clip. Quel coup ! Le virtuel, fallait y penser. Elle va se faire des couilles en or, la Claudia.

— Pourquoi, elle s'en est fait greffer ?

— T'es con, Tello, toujours aussi lourd. Comme tes sketches, pour ça que j'arrive pas à les placer.

— Eva Stella, je l'héberge. C'est ma copine.

— Qu'est-ce que t'as pris ? Amphés ? Coke ? Ecstasy ?

— Le train de la fortune. En Turquie.

— Elle était dedans ?

— En chair et en os.

— Elle existe pas, cette fille. C'est une invention de Claudia, cette vieille gouine.

— Le double meurtre de la rue de l'Université, elle n'a pas pu l'inventer.

— T'es vraiment à jeun ?

— Regarde-moi ! Depuis le temps qu'on se connaît ! »

Il a fait ses grimaces d'acteur du cinéma muet : paupières mi-closes, mains jointes, regard perçant.

« J'ai l'impression que tu ne débloques pas... Alors, la souris, elle a flingué Craubard ? Et son mec ? Tu sais tout ? Et tu la planques, vrai ?

— Patience !

— Eh ben, raconte !

— Ça risque d'être long.

— Synthétise.

— Je vais essayer. »

Je lui ai résumé ce que je viens d'écrire. Il en a attrapé le hoquet. Quand je lui ai dit comment j'imaginais la scène finale, il a couiné en battant des mains.

« Tello ! Mon petit Tello ! Laisse-moi t'embrasser !

— Sois chaste, Angelo, t'avise pas de me rouler une pelle. »

Il s'est servi un gin tonic, j'ai pris un scotch, et pendant qu'il buvait, les yeux fermés, on pouvait lire sur son visage qu'il bichait à mort. Il a rouvert les yeux.

« Bercy, dans quinze jours, à la fin du comeback de Vic, ça t'irait ?

— De Vic ? La vache ! On ne pourrait pas rêver mieux.

— J'arrange ça, Tello, c'est comme si c'était fait.

— Dans la discrétion, hein ? Je ne voudrais pas que les flics débarquent chez moi aux aurores.

— Tu me vexes, Tello ! Moi, ton Angelo, comment je ferais foirer ce coup du siècle ? »

Sur le pas de la porte, il a suçoté sa chevalière en or, l'air songeur.

« Il y a des coïncidences bizarres, des idées qui circulent comme des ondes... Ça m'a toujours frappé. Figure-toi que samedi soir j'avais un dîner en ville avec des gusses de la téloche et de l'édition. Un éditeur a parlé de ta souris... Son mec, son poète comme tu dis, tu savais qu'il avait écrit un roman ?

— Une espèce d'autobiographie.

— Ah, t'as lu ?

— Non. Eva m'en a dit deux mots. Pas plus. Elle est… comment dire ? fragile. Son grand amour, c'est un sujet délicat à aborder.

— Le bouquin a dû sortir hier ou avant-hier.

— Publié ? Quand elle va apprendre ça…

— L'éditeur en a fait un de ses bourrins, pour les prix de fin d'année. Si tu passes devant une librairie, renseigne-toi. Je te téléphone demain, on règle le tableau final et après on s'évite d'ici le grand soir. Et la Claudia, faudra qu'elle recrache son contrat et le blé, la salope ! Et on le fera fructifier, le capital de ta copine, Tello. Et t'auras ta part. Tu imagines, le press-book ? L'histoire complète, on va la leur distiller au goutte-à-goutte. J'ai le staff requis pour ce genre de boulot. Ils sauront étirer l'anecdote en saga. Et le procès ? Putain, les articles ! L'encyclopédie universelle en cinquante volumes ! Des classeurs au décamètre, là, sur les étagères !

Il s'est gratté la tempe.

« La fille, faudra que je la voie, avant.

— Il vaut mieux pas.

— Elle tiendra le coup ?

— C'est mon problème.

— Samedi soir, l'éditeur se demandait si le poète assassiné avait écrit autre chose.

— Une quinzaine de chansons. De quoi réaliser un album.

— Et alors, c'est bon ?

— Pas lues, non plus.

— Ah ! La souris doit les avoir, non ? Ce serait bonard d'y jeter un coup d'œil. Un regard dirigé vers l'avenir ! Hé ! Hé ! Même s'il faut récrire... Les bonnes plumes ne manquent pas...

— Je lui poserai la question. »

Il m'a embrassé sur la joue.

« Une copine ! Qui aurait cru ça de toi ? Tello, t'as fini par m'étonner. J'en suis baba. Presque bouleversé. »

J'ai pris le métro jusqu'à Saint-Germain-des-Prés. Le bouquin était en bonne place dans la vitrine de la librairie La Hune : *Marie-Thérèse du Yeun*, récit, par Roparz Falchun.

« Vous avez lu la presse ? m'a dit le libraire.

— Non, pourquoi ?

— Simple curiosité. Depuis hier les clients défilent. Comme des articles ont paru un peu partout... Mais vous, si vous ne les avez pas lus, c'est le bouche à oreille, alors ?

— Oui, le bouche à oreille.

— Si vite, ça promet ! »

Sonné, je me suis réfugié au Flore. Je me mettais dans la peau d'Eva : la sortie du tombeau de son poète risquait de lui suffire. Elle l'interpréterait comme une fin en soi, comme un achèvement qui rendrait caduque la naissance que j'avais organisée. Eva Stella, mon bébé, mort-né ?

J'ai lu le livre, qui n'était pas bien long. J'en ai chialé, à l'intérieur. Comparé à Roparz et à Eva je n'étais rien. Rien qu'un pou qui se nourrissait de leur sang.

Eva était allongée et lisait *Marie-Thérèse du Yeun*. J'ai brandi mon exemplaire. Elle a levé les yeux du sien.

« Tello, a-t-elle dit, ivre de larmes, il a réussi. Il est écrivain. »

J'ai murmuré : « Il était...

— Il EST, a-t-elle crié.

— Oui, Eva, c'est formidable. »

Je me suis assis sur le lit et j'ai caressé son front.

« Tello ? »

J'avais prévu ce qu'elle allait me dire.

« Tello, je n'ai plus envie d'être Eva. »

J'ai ouvert la fenêtre et j'ai regardé le cimetière du Père-Lachaise : j'étais enterré. Au figuré, et bientôt au propre après qu'Angelo m'aurait étranglé. Comment allais-je m'en sortir, vis-à-vis de lui ? Il me traiterait de mégalo, de fabulateur, de mythomane : « Eva Stella, chez toi ? Et elle ne veut plus marcher dans ta combine ? Un rêve ! Il n'y a personne chez toi, à part une armée de rats bleus et un troupeau d'éléphants roses ! » Et pour finir il se vengerait, n'achèterait plus de sketches pour les balancer au panier, me collerait sur la liste noire.

« Tu es fâché, Tello ?

— Assommé. Ecoute, c'est pas possible... »

J'en ai appelé à sa raison. Je lui ai narré ma conversation avec Angelo et confié ce dont nous étions convenus.

« Grandiose ! Je ne t'aurais pas cru capable de ça, Tello ! Merci, merci, merci, mon Tello.

— Tu as bu ?

— Je suis soûle de lecture.

— Ne me laisse pas en rade.

— Pardonne-moi, mais à présent je n'ai plus besoin d'être Eva. Et je n'ai plus la force de les affronter.

— Affronter qui ?

— Les cannibales.

— Les cannibales ? »

Elle déconnait, ou bien elle devenait folle. A moins qu'elle ne l'ait toujours été, dingue ? J'ai changé de tactique. J'ai voulu l'attendrir. Je lui ai dit que je ne pouvais plus reculer, qu'Angelo m'en voudrait à mort, qu'il se vengerait.

« On s'en fout !

— Toi oui, moi non ! »

J'ai essayé de l'effrayer.

« Angelo te vendra aux flics.

— Tu m'as promis que je n'irai pas en prison.

— Qu'Eva n'ira pas, mais Evelyne...

— Tu avoues que tu m'as menti ?

— Mais non, je ne t'ai pas menti. »

A court d'arguments, c'est pourtant ce que j'ai fait, mentir. Honteusement.

« J'ai parlé à Angelo des autres textes de Roparz...

— Tu ne les as pas lus.

— Ils sont forcément géniaux. Angelo est prêt à produire l'album complet. A signer avec toi les yeux fermés. Mais à condition que tu fasses comme je t'ai dit.

— Tu as confiance dans cet Angelo ?

— On se connaît depuis presque trente ans.

— Au sens biblique ?

— On a zoné ensemble, il a réussi et moi pas.

— Qu'est-ce qu'il te doit ?

— Il me doit de lui avoir révélé ton existence.

— Et si tu t'étais trompé ?

— Trompé comment ?

— Que je n'existais pas ?

— Je lui aurais offert sur un plateau une tranche de néant ?

— En quelque sorte.

— C'est bon. Restons-en là. Roparz est mort, son livre l'a ressuscité, mais en refusant de chanter ses textes tu le tueras une seconde fois, et pour de bon.

— Je n'ai pas dit que je refusais.

— Tu me files le tournis.

— Tu n'essaies pas de me comprendre.

— Non, je ne te comprends plus.

— J'ai peur d'eux, Tello !

— Peur de qui ? Ce serait mieux pour tout le monde, non ?

— Quoi ?

— Que tu vires des écrans de télé cette image de merde qui t'imite !

— Pour Roparz ?

— Pour Roparz et les vivants !

— Ah oui, les vivants ! Tu veux que je ressuscite aussi, hein ? Pourquoi ?

— Je te l'ai déjà dit : tu ne peux pas continuer à vivre, morte.

— Tu es un cannibale, Tello, comme les autres. Alors tant pis…

— Tu vas le faire ?

— Oui.

— Tu ne le regretteras pas, Eva.

— Mais je te préviens, Tello, je ne les laisserai pas me manger. »

Je me suis tu. Ses paroles montaient vers je ne savais où, échafaudant un château de cartes dont elle avait la fragilité. Durant les quinze jours qui ont suivi, j'ai retenu mon souffle. Elle n'a pas bougé, ne m'a pas quitté. Elle a relu et relu et relu le livre de Roparz qui l'expédiait, shoot sur shoot, au beau pays de la catatonie, sa prison.

Le grand soir, j'ai frappé à la porte de verre de sa cellule et, docile, elle m'a suivi.

Sur le palier, elle m'a demandé ma clé. Elle avait oublié quelque chose. J'ai pensé elle a oublié un truc intime, un truc de femme, parce que tout le reste, tout ce dont elle avait besoin se trouvait dans le sac que je tenais : ses vêtements et ses chaussures de scène, sa perruque, son nécessaire à maquillage, ses lentilles. Une minute plus tard elle m'a rendu la clé tout en fermant son petit sac à main, un réticule qu'elle portait en bandoulière autour du cou et non sur l'épaule, et qu'elle pressait contre son ventre.

« On y va ! » a-t-elle dit, de cet air faussement enjoué qui me déplaisait.

Elle m'a précédé dans l'escalier.

« Tu n'as pas le trac ?

— Je n'ai pas le trac.

— Si ça peut te rassurer, sache qu'Angelo a mis ses avocats en alerte. Ils seront chez le procureur avant même que les flics ne t'embarquent. Je n'aurai pas besoin de t'apporter des oranges. Ils ne te garderont pas au-delà du délai de garde à vue. Sinon ce sera l'émeute.

— Pourquoi te faire du souci ? Deux jours de tôle, un mois, un an, dix ans ? Quelle importance ? On a toute la vie devant nous, non ?

— Tu n'as plus la trouille d'être condamnée ?

— Qui condamnerait une étoile ?

— Tu me fous les jetons.

— Sacré Tello ! Avoir les jetons parce que je n'ai pas le trac ! Un comble !

— Tu ne vas pas craquer ?

— J'en ai l'air ?

— Non.

— Alors, pourquoi tu t'inquiètes ?

— Tu es trop gaie.

— Je n'en ai pas le droit ?

— Si.

— Alors ? »

En traversant la cour, je lui ai dit : « J'ai le pressentiment que je vais te perdre.

— Plus qu'un pressentiment, une certitude, crois-moi ! »

Elle est sortie sur le trottoir, comme pour me fuir. Il pleuvait des cordes. Je l'ai secouée.

« Tu veux me rendre marteau ou quoi ? Pourquoi tu me dis des trucs pareils ? »

Elle a gazouillé son petit rire gai.

« Tu vas me perdre telle que je suis.

— Perdre Evelyne ?

— Sûrement !

— Mais Eva ? Je vais la perdre aussi, Eva ?

— Tu n'as jamais connu et tu ne connaîtras jamais Eva. »

J'ai fait demi-tour en l'empoignant par le bras.

« On n'y va plus ! »

Elle a résisté en riant.

« Mais j'en ai envie, moi ! Allons, Tello, mon vieux père, mon Pygmalion en gilet de corps, je voulais juste te faire marcher. »

Elle a posé ses lèvres sur les miennes.

« Mon cœur est à papa… tu le sais bien. »

J'ai hélé un taxi et en disant « Bercy » j'ai pensé que Bercy et berceau avaient la même racine.

C'est Lyne et non Eva qui a pris ma main dans la sienne. Le taxi a remonté le fleuve sous une pluie battante. Les phares des voitures qu'on croisait arrosaient le pare-brise d'étoiles filantes qui s'écrasaient sur le chaos de la ville.

A l'intérieur de la zone interdite au public du parc de stationnement, un énorme groupe électrogène grondait sur sa remorque. Les cars vidéo de la chaîne de télévision qui retransmettait le spectacle en direct étaient garés derrière les barricades. Des fils couraient partout sur le sol, qui grésillaient et se tortillaient sous la torture du rugissement des basses, des étincelles d'aigus et des vociférations des fans qu'ils évacuaient, ainsi que des tuyaux de vidange, du château en béton jusqu'aux écrans de contrôle devant lesquels, dans l'ombre bleutée des cars, des techniciens casqués pianotaient.

Grâce au coupe-file que m'avait remis Angelo, nous avons franchi plusieurs barrages successifs de gros bras : celui de gardiens de la paix ; celui de types qui portaient l'uniforme d'une société de surveillance ; et enfin celui des intermittents, adeptes des petits boulots, machinos autodidactes, porteurs d'eau et de cafés, bricoleurs en tout genre, esclaves volontaires du maître chanteur, satellites du dernier cercle qu'on sonne à n'importe quelle heure et qu'on nourrit de sandwichs et de bière, avec en prime une pincée de paillettes sous laquelle ils s'ébrouent comme des poules que le coq vient de monter. Ils se contentent de peu. Partager la baguette-jambon-beurre de la vedette leur suffit. J'ai appartenu à la corporation, vers mes vingt ans, à l'époque où j'étais persuadé qu'uriner dans les mêmes gogues que les stars me ferait un jour pisser comme elles du champagne millésimé. Rien n'avait changé, depuis vingt-cinq ans : mêmes blousons, mêmes jeans élimés, mêmes bottes à talons biseautés, mêmes clopes roulées et mêmes illusions dans les yeux fatigués. Je me suis reconnu et ça m'a fichu le bourdon, mais juste une fraction de seconde, pas plus. C'est que moi, ce soir-là, j'avais progressé, par rapport à eux. Je présentais un laissez-passer signé du producteur, j'accompagnais une fille dont je portais le sac, je les intriguais. C'est qui, cette nénette ? se demandaient-ils. Le nouveau tendron de la star ? On nous adressait des sourires de connivence. A en croire les gazettes, il baisait de plus en plus jeune à mesure qu'il se ridait. Les intermittents pensaient qu'on appartenait au sérail, au cercle des intimes. La vedette n'a guère d'importance dans ce tableau final. Qu'il me suffise de dire que c'était un rescapé des années twist, jeune grand-père quinquagénaire qui faisait son énième come-back fiscal. Un temps, même époque toujours, celle où je voulais conquérir le monde du showbiz, Angelo et moi on avait gratté la guitare pour lui dans les patronages. En ces temps-là, il s'appelait Victor, le prénom sous lequel son paternel l'avait déclaré à la mairie. Quand il avait fallu le rebaptiser, son premier producteur n'avait pas eu besoin de lancer un concours d'idées. Victor était devenu Vic, suivi d'un nom à consonance amerloque.

On est entrés dans le souterrain qui menait aux loges. Un sourire de béatitude sur les lèvres – un sourire idiot, pensaient certainement ceux qui la prenaient pour la dernière première communiante du patron –, Eva marchait à mes côtés, légèrement en retrait. Sur notre passage on se retournait. On nous dévisageait. Eva regardait droit devant elle. J'ai consulté ma montre : on était pile à l'heure. La seconde partie du concert venait de commencer – les vieux tubes, le succès garanti, la preuve par le neuf du passé que la jeunesse de leurs vieux pouvait faire bander les nouvelles générations. Sujet de perplexité, un abîme de perplexité que l'éternité de l'actualité. Voilà le genre de délire qui m'occupait l'esprit tandis que mon humeur vagabondait à la vitesse du son sur une sinusoïde. Eva : le flop. Eva : la gloire. Eva : les assises et dix ans de tôle. Eva : pas de préventive, les assises et trois ans avec sursis. Eva : la tournée aux Amériques et au Japon, les CD par millions...

Angelo m'a remis les idées en place. Il nous attendait devant l'entrée de la loge que gardait un cerbère en smoking.

Angelo ! C'est en face de lui qu'une fois de plus j'ai mesuré ma petitesse. Urbain et badin, rasé de frais au rasoir à main par un barbier du VIIIe, pomponné, en pantalon blanc, chemise blanche ouverte et veste en lamé argent, il respirait les lauriers et les myrtes des altitudes de l'Olympe. Divin Angelo qui s'apprêtait à jouer un tour aux hommes, ces sous-êtres manipulables à loisir.

Il a pris Eva dans ses bras.

« Dites-moi, petite fille, c'est vous ? C'est vraiment vous ? Magnifique ! N'ayez pas peur, tout ira à merveille. Aussi bien votre vraie naissance ce soir à Bercy que les formalités judiciaires qui s'ensuivront. Vous êtes entre de bonnes mains, Eva. Donnez-vous la peine d'entrer. »

Le cerbère a refermé la porte vitrée de verre cathédrale et sa silhouette s'est inscrite dans le rectangle, jambes écartées. Angelo savait s'entourer.

« Me permettrez-vous d'assister à votre transmutation ? Si cela vous gêne, j'irai tenir compagnie au gardien. »

Sans répondre, Eva a ôté son blouson et s'est assise devant la coiffeuse. Je lui ai donné sa trousse de maquillage et Angelo a allumé l'éclairage du miroir. A l'intérieur de l'arche d'ampoules, son reflet avait l'air compassé d'une icône byzantine.

Les nerfs à fleur de peau, incapable de garder le silence, j'ai cherché en vain une parole intelligente à prononcer. En présence d'Angelo, je n'étais qu'une boule de complexes. Au lieu de me taire, j'ai dit : « Alors, Angelo, qu'est-ce que t'as concocté ? »

Il a eu une moue désolée. Désolé que tant de débilité accable un seul être.

« Concocté ! Tello, mon ami ! Tu vis un moment inoubliable, qui mérite d'autres verbes, sinon le silence. Laisse-nous nous concentrer, voyons... »

« Laisse-nous »... Le pronom possessif était centrifuge : il m'éloignait d'Eva. J'étais l'intrus qu'Angelo, consciemment ou inconsciemment, avait décidé d'écarter, tout comme Roparz avait été, pour Craube, le parasite à éliminer. Je n'ai pu réprimer un ricanement.

« Quelque chose qui ne va pas, Tello ? a chuchoté Angelo.

— Tout va bien, mon Angelo », ai-je dit encore plus bas.

Il a opiné. Et moi aussi. Il ne me restait plus qu'à assister, dans l'ombre d'Angelo le flamboyant, à la métamorphose.

Bientôt dans le miroir sont apparus le visage de porcelaine, les yeux d'Asiatique et le sourire coagulé, d'un rouge vineux. Puis Lyne a roulé ses fins cheveux blonds, y a planté des épingles et s'est coiffée de la perruque corbeau de la déesse de l'obscurité.

« Fantastique ! » a soufflé Angelo.

A l'intérieur de son minuscule boîtier, elle a choisi des lentilles très foncées. Eva l'oiseau de nuit nous a fait les yeux noirs.

Elle a commencé de se dévêtir.

« Le paravent, petite fille... »

Elle se fichait qu'on la voie en dessous et bas noirs : on n'était plus de son monde. Elle a enfilé une minijupe en cuir noir et un chemisier blanc brodé de fleurs champêtres. Angelo a chuchoté : « La prégnance de l'habit, Tello ! Le cuir : la révolte urbaine. Le lin et les fleurettes : la pastorale virginité. Merveilleux ! »

Elle s'est chaussée et a passé autour de son cou la sangle de son réticule.

« Vous y tenez, à votre baise-en-ville ? »

Eva a battu des paupières.

« Bah, ça n'ajoute rien, ça n'enlève rien. La sacoche à grains de la semeuse ? Pourquoi pas ? »

Angelo a consulté sa Cartier.

« Plus que dix minutes... Maintenant, que je vous explique, Eva... »

Ils avaient repiqué l'orchestration, il n'y aurait pas une note de changée par rapport au CD original. Vic, après avoir accepté un nombre respectable de rappels, réclamerait le silence et annoncerait Angelo.

« Il n'en sait pas plus, il ignore la suite. »

Au même moment le cerbère en smoking entrerait dans la cabine de mixage, donnerait la bande à l'ingénieur du son et lui dirait de la lancer au signal d'Eva.

« Et dans ce court intervalle, mon balèze le surveillera au cas où il lui prendrait l'envie de téléphoner. N'ai-je pas tout prévu, mon bon Tello ?

— Tu es un amour, mon Angelo. Et que diras-tu au public ?

— Ah ! C'est beau ! Mais beau ! Beau à en pleurer ! Je dirai… »

Il gueulerait : « *I had a dream* !

— Tu te prends pour Martin Luther King ?

— Les masses ont besoin qu'on secoue leur mémoire collective.

— Cette masse-là n'était pas née.

— Qui te parle de lui donner à comprendre ? C'est l'intonation, et non le verbe, qui fait rugir la foule. »

Eva a enfilé un peignoir blanc à large capuche et Angelo nous a emmenés le long d'un tunnel dont le sol pavé et la voûte basse m'ont rappelé les arènes de Sidé et les souterrains qui reliaient les cages des fauves au cirque où les vierges aux chevilles entravées attendaient d'être dévorées. Nous sommes restés à la lisière de la piste, dans la pénombre du tunnel, à compter les rappels de Vic.

Enfin, après que la star eut récité l'annonce prévue, Angelo s'est élancé sous les sunlights, d'un pas leste a gravi les marches du podium où Vic et lui se sont longuement congratulés tandis que le batteur de l'orchestre entretenait la fièvre en châtiant ses drums et ses cymbales.

Vic a adressé baisers et poignées de main à ses groupies qui scandaient son nom, et quelques instants plus tard il s'engouffrait dans le souterrain. Il a pris Eva par les épaules.

« Angelo vient de me mettre à la coule. J'en reviens pas. Ça va ? Ça va aller ? »

Les types du service d'ordre adossés au mur du souterrain lançaient des coups d'œil en coin dans notre direction. Ils supputaient l'inédit.

« Et toi, Tello ? Putain, ça fait une paie ! Tu t'es remis en selle ? Depuis le temps ! Qui aurait cru ça de toi !

— J'AI FAIT UN RÊVE ! » a hurlé Angelo.

Un voltigeur de la télévision qui, caméra sur l'épaule, était chargé des plans de coupe des spectateurs, a tourné la tête vers nous. Intuitif, il a braqué sa caméra sur Eva. Elle a camouflé son visage sous la capuche de son peignoir.

« J'ai fait un rêve », a murmuré Angelo, et, cette fois, il a obtenu un semblant de silence. Il a fait signe aux musiciens et aux pom-pom girls d'évacuer la scène.

« *I HAD A DREAM* ! J'ai rêvé de celle qui vous fait tous rêver… J'ai rêvé qu'Eva Stella… »

Sifflets, hurlements… Angelo a levé les mains en un geste d'apaisement.

« J'ai rêvé qu'Eva Stella existait vraiment, j'ai rêvé qu'elle n'était pas coupable, j'ai rêvé qu'elle sortait de l'ombre, j'ai rêvé qu'elle venait ce soir chanter pour nous, CHANTER POUR VOUS ! »

Sifflets et hurlements ont redoublé. Angelo a tendu le bras vers le souterrain.

« Dans un instant Eva Stella sera devant vous, à ma place, devant ce micro… »

Un second voltigeur de la télé s'est précipité. Tout autour, de haut en bas des gradins, les têtes se tournaient vers le trou de souris et, plus près, des spectateurs se dressaient pour essayer de nous voir.

« Ensuite, Eva se livrera à la police, et les juges jugeront ! Les juges jugeront une innocente ! »

Sacré Angelo... Si l'heure n'avait pas été aussi grave, je me serais marré. Voilà que maintenant les mains jointes, la tête basse, il jouait les tragédiens.

« Je vous implore de la soutenir dans cette épreuve ! »

La foule a hurlé son acquiescement et tapé des pieds.

« Eva, tes vrais juges trépignent d'impatience ! Voilà longtemps qu'ils ont délibéré. Ils brûlent de te lire leur verdict ! Entends-tu comme moi ? Un mot, un seul mot, mais oui nous l'entendons : INNOCENTE !

— EVA ! EVA ! EVA ! scandait la foule.

— Foncez ! » a dit Vic en débarrassant Eva de son peignoir.

Je lui en ai voulu et je m'en suis voulu : ce geste m'appartenait, et j'aurais dû embrasser Eva, au lieu de la laisser s'en aller, seule, fragile, sous les soleils, précédée des deux opérateurs de télévision qui, marchant à reculons, gravaient sur leurs bandes son regard noir et son sourire figé.

J'ai reculé d'un pas. Je rentrais dans mon trou, je m'enfonçais dans ma nuit.

« Eva ! T'es la vraie Eva ? a hurlé un rigolo près de la sortie du tunnel.

— Eva, pince-moi ! a gueulé un autre.

— Vos gueules ! » leur a intimé quelqu'un.

Angelo nous a rejoints. Il cherchait sa respiration. Soudain muette, la foule retenait son souffle.

« T'es sûr qu'elle va pas s'effondrer, Tello ? »

Je n'ai pas pu répondre : j'avais la langue collée au palais.

« S'effondrer ? a dit Vic. Regardez-la, cette môme, c'est une reine. »

D'un pas léger de danseuse, elle approchait de la scène, la main droite sur son réticule, le bras gauche pendant, raide, un peu en arrière du corps.

Deux types ont jailli des gradins. La garde s'est précipitée, croyant à l'agression. Les deux types ont bousculé les gros bras et ont disparu à l'intérieur du tunnel.

« Pauvres cons ! a dit Angelo. Vont bigophoner à la radio, celle qui prime les scoops. Peuvent courir ! Deux minutes que ça sonne les vêpres, sûr ! »

Je n'y avais pas pensé : dans les cars vidéo les techniciens étaient déjà en ligne avec leur rédaction ; dans les gradins, des propriétaires de portables déclinaient déjà leur identité à la radio en question ; et les flics, à l'extérieur, réclamaient déjà des instructions à leur commissariat.

Eva s'est plantée devant le micro, la main droite sur son réticule et le bras gauche, raide, le long du corps. Elle a hoché la tête et le gars dans sa cabine a balancé les violons de l'intro.

J'arrose ton cannabis
Marie-Jeanne du pénis...

Dix mille personnes étaient suspendues aux lèvres d'Eva, et demain ils seraient des millions. J'ai sangloté.

« Eh ben, t'es émotif à ce point-là ? » a plaisanté Angelo. Mais sa voix chevrotait, il n'était pas moins ému que moi.

« Il y a de quoi, a bredouillé Victor. Purée, quelle môme ! Et dire qu'elle a descendu deux mecs. »

J'ai murmuré : « Elle n'a assassiné personne. »

Et j'le fume ton hasch
Pour le prendre, mon flash
Quand j't'allume ton étoile
Couchée sur toi dans les toiles.

Violons, hautbois, accordéon... Une longue mesure serpentine de clarinette m'a fait entrevoir le soleil, les oliviers et les figuiers de Barbarie... Libérée de l'emprise de la voix, la foule s'est soulagée de ses cris. Mais aux premiers mots du deuxième couplet, le silence a de nouveau isolé Eva au centre de sa galaxie.

J'suis ta piquouse, ta ventouse, ta sangsouse...

Les souliers à clous de la maréchaussée ont martelé les pavés du souterrain : trois gardiens de la paix et un gradé déboussolé, partagés entre la crainte de l'impair et l'espoir d'une médaille. Grandiose Angelo, dramatique Angelo a dressé le rempart de sa maigre poitrine et de ses manches en lamé argent.

« Messieurs ! Que le spectacle se termine, au moins, avant que vous ne fassiez votre devoir !

— Votre nom ?

— Pygmalion, j'ai dit.

— Tello, voyons, ne te moque pas...

— Dégagez le passage ! »

Angelo nous a pris par le bras, Vic et moi, et on a fait la chaîne. Barrant le chemin aux flics, on a reculé pas à pas.

Pour des flics hérisser le poil
Dans la ville allumer plein d'étoiles.

A peine les casquettes ont-elles été visibles des gradins que deux jeunes, un garçon et une fille, puis trois types, puis deux filles, dix, vingt, trente, cinquante, cent personnes ont sauté le mur et sont venus s'agglutiner dans notre dos, clôturant le passage d'un bouchon silencieux, large de vingt rangs, infranchissable.

Le gradé parlait dans son portable. Du renfort ? Boucler toutes les issues ? Fallait pas que la chevrette leur échappe.

Ton canna c'est mon pain bis
J'suis ton héroïne, je craque, descends
En moi transformer l'eau en sang...

L'éclairagiste a plongé les gradins dans l'obscurité. La digue humaine me cachait Eva. Mais comment n'aurais-je pas vu s'allumer les centaines de briquets, là-haut ?

« Les étoiles ! C'est gagné », a dit Angelo.

… Arrose la zone de fuel-oil
A leur gueule fais péter les étoiles.

Les quatre flics, regroupés, patientaient. Comme nous ils entendaient les sirènes, très loin, puis loin, ce qui voulait dire assez près, et tout près, compte tenu de la masse de béton qui nous isolait du boulevard.

J'arrive, mon chéri, à tes ordres j'obéis
Moi ta faucheuse de canna, cannabiche…

Eva avait-elle shunté la cinquième strophe ? Sûrement que non. C'était moi qui sautais des portions de temps, comme d'une pierre à l'autre une âme morte franchit le Styx à gué pour gagner l'éternité.

… Que d'une balle dans la tête, dose létale,
Je t'expédie au ciel allumer mes étoiles.

Voilà. Terminé ! Enfin, j'allais l'arracher aux lions.

La foule s'est tue, d'un coup.

Silence qui a duré une seconde avant que ne le rompent des cris d'hystérie.

Le coup de feu m'a perforé l'estomac.

« Eva ! »

A l'intérieur de son petit sac, le flingue ! Elle s'était suicidée.

Au deuxième coup de feu, j'ai tournoyé comme un derviche possédé.

La digue s'est disloquée et la crue a emporté Angelo, Vic et les flics. Pour échapper au piétinement, je me suis collé dos au mur et pas à pas j'ai remonté le courant. J'ai agrippé la balustrade.

Troisième coup de feu.

Dans les arènes obscures, autour de la fosse baignée de lumière, des fleuves de panique convergeaient, à leurs confluents aléatoires se chevauchaient et se divisaient pour former de nouvelles traînées houleuses dans des bourrasques de clameurs.

Quatrième coup de feu.

J'ai réussi à me hisser sur les gradins.

Tenant le pistolet à deux mains, Eva vidait son chargeur. Droit devant elle.

Un éclair, une détonation : cinquième coup de feu.

A la bouche du tunnel, la foule s'écartait et se refermait sur le brise-lames en mouvement de flics équipés de gilets pare-balles. L'un d'eux a épaulé un fusil. Je me suis jeté sur lui. J'ai encaissé un coup de crosse. Un ordre a retenti : « Tirez pas ! Son chargeur est vide. »

Cinq balles, deux morts, trois blessés.

Eva avait flingué les cannibales et éteint les étoiles.

Le sourire aux lèvres, le regard fixe, elle était statufiée, la main gauche sur son petit sac ouvert, le bras droit pendant le long du corps et, au bout, le pistolet.

Les flics ont failli avoir recours à la tenaille pour décrisper ses doigts et lui prendre le pistolet. On l'a évacuée sur un brancard et c'est en ambulance qu'elle est partie, à Sainte-Anne, chez les fous.

J'ai passé la nuit au commissariat, à raconter mon histoire. J'ai signé et je suis rentré.

Sur la table de la cuisine, pendant que je l'attendais sur le palier et en même temps qu'elle fourrait l'arme dans son petit sac, elle avait déposé en évidence le reste du fric, le manuscrit de Roparz et son propre cahier.

Quand les visites seront permises, j'irai la voir, à Sainte-Anne. Un jour, si elle guérit, je la prendrai chez moi.

Mais en attendant, que me restait-il à faire ?

Compléter l'histoire de Roparz et la sienne. Ecrire ma partition. Et remettre le tout à l'éditeur de *Marie-Thérèse du Yeun*, en espérant qu'il publie ce triptyque, cette œuvre à trois voix, dont deux éteintes.

J'ai ouvert son cahier au hasard. Sur cette page, il était question de l'antilope fantôme qui apparaît au sommet d'une crête et disparaît pour réapparaître dans la plaine, et qui s'offre un beau soir, immobile, pour recevoir le coup de grâce.

J'ai ouvert son cahier à la première page. Elle avait écrit : « Je suis comme ce papillon d'Amérique du Sud... »

C'est comme ça que j'ai trouvé ma liaison et le début de la suite et fin :

« Petit papillon de nuit qui se cognait aux valoches, aux sacoches, aux porteurs qui se battaient pour lui arracher son sac de voyage.

« Petit papillon de nuit en perdition dans les tourbillons d'air chaud qui montaient du bitume... »

Et cetera.

DU MÊME AUTEUR (*suite*)

Les Douze Chambres de M. Hannibal (Stock 1992)
Les Endetteurs (Stock, 1994)
Le Fossé (Denoël 1995 ; Editions de la Chapelle 2003 ; Presses de la Cité 2012)
Toutes les couleurs du noir (Denoël 1995, volume regroupant 5 titres)
La Tentation du banquier (Denoël 1998)
Merci de fermer la porte, nouvelles (Denoël, 1999 ; Folio Gallimard 2001)
Chroniques d'hier et de demain (Editions Ouest-France 2004)
L'Argent de la quête (Après la Lune 2006)
Les Moulins de Yalikavak (Rivages/Noir 2006 ; sous le titre *Ouragan sur les Grèbes,* Denoël 1993)
Fleur d'achélème (Diabase 2007)
Lettres de Groix et d'ailleurs, correspondance avec Anne Pollier 1986/1993 (Diabase 2007)
Petites trahisons et grands malentendus, nouvelles (Diabase 2009)
Aux armes zécolos (Diabase 2010)

SITE INTERNET DE L'AUTEUR
www.hervejaouen.fr

Composition et mise en pages
Nord Compo à Villeneuve-d'Ascq

Imprimé en Espagne par Cayfosa
Dépôt légal : août 2016